Сергей Александрович
ЕСЕНИН
1895 — 1925

стр. 176: "И опять и ж
На любовь, которая утихла.

Сергей ЕСЕНИН

Исповедь хулигана

*Стихотворения
Поэмы*

Санкт-Петербург
Издательская Группа
«Азбука-классика»

2009

УДК 882
ББК 84(2Рос-Рус) 1+6
Е 82

Оформление обложки Валерия Гореликова

Есенин С.

Е 82   Исповедь хулигана: Стихотворения, поэмы. — СПб.: Издательская Группа «Азбука-
классика», 2009. — 320 с.
ISBN 978-5-9985-0186-9

«...История Есенина есть история заблуждений. <...>
И однако, сверх всех заблуждений и всех жизненных
падений Есенина остается что-то, что глубоко привлекает
к нему. Точно сквозь все эти заблуждения проходит
какая-то огромная, драгоценная правда. <...> Прекрасно
и благородно в Есенине то, что он был бесконечно правдив в своем творчестве и перед своею совестью, что во
всем доходил до конца, что не побоялся сознать ошибки,
приняв на себя и то, на что соблазняли его другие, — и
за все захотел расплатиться ценою страшной...» (Владислав Ходасевич).

В настоящий сборник вошли все самые известные
стихотворения С. Есенина, а также его поэмы «Пугачев»,
«Анна Снегина» и «Черный человек». В приложении
приведено эссе В. Ходасевича «Есенин».

ISBN 978-5-9985-0186-9

О СЕБЕ

Родился в 1895 году, 21 сентября, в Рязанской губернии, Рязанского уезда, Кузьминской волости, в селе Константинове.

С двух лет был отдан на воспитание довольно зажиточному деду по матери, у которого было трое взрослых неженатых сыновей, с которыми протекло почти все мое детство. Дядья мои были ребята озорные и отчаянные. Трех с половиной лет они посадили меня на лошадь без седла и сразу пустили в галоп. Я помню, что очумел и очень крепко держался за холку. Потом меня учили плавать. Один дядя (дядя Саша) брал меня в лодку, отъезжал от берега, снимал с меня белье и, как щенка, бросал в воду. Я неумело и испуганно плескал руками, и, пока не захлебывался, он все кричал: «Эх! Стерва! Ну куда ты годишься?..» «Стерва» у него было слово ласкательное. После, лет восьми, другому дяде я часто заменял охотничью собаку, плавал по озерам за подстреленными утками. Очень хорошо лазил по деревьям. Среди мальчишек всегда был

5

коноводом и большим драчуном и ходил всегда в царапинах. За озорство меня ругала только одна бабка, а дедушка иногда сам подзадоривал на кулачную и часто говорил бабке: «Ты у меня, дура, его не трожь, он так будет крепче!» Бабушка любила меня из всей мочи, и нежности ее не было границ. По субботам меня мыли, стригли ногти и гарным маслом гофрили голову, потому что ни один гребень не брал кудрявых волос. Но и масло мало помогало. Всегда я орал благим матом и даже теперь какое-то неприятное чувство имею к субботе.

Так протекло мое детство. Когда же я подрос, из меня очень захотели сделать сельского учителя и потому отдали в церковно-учительскую школу, окончив которую я должен был поступить в Московский учительский институт. К счастью, этого не случилось.

Стихи я начал писать рано, лет девяти, но сознательное творчество отношу к 16—17 годам. Некоторые стихи этих лет помещены в «Радунице».

Восемнадцати лет я был удивлен, разослав свои стихи по журналам, тем, что их не печатают, и поехал в Петербург. Там меня приняли весьма радушно. Первый, кого я увидел, был Блок, второй — Городецкий. Когда я смотрел на Блока, с меня капал пот, потому что в первый раз видел живого поэта. Городецкий меня свел с Клюевым, о котором я раньше не слыхал ни слова. С Клюевым у нас завязалась при всей нашей внутренней распре большая дружба.

В эти же годы я поступил в Университет Шанявского, где пробыл всего 1,5 года, и снова уехал в деревню.

В Университете я познакомился с поэтами Семеновским, Наседкиным, Колоколовым и Филипченко.

Из поэтов-современников нравились мне больше всего Блок, Белый и Клюев. Белый дал мне много в смысле формы, а Блок и Клюев научили меня лиричности.

В 1919 году я с рядом товарищей опубликовал манифест имажинизма. Имажинизм был формальной школой, которую мы хотели утвердить. Но эта школа не имела под собой почвы и умерла сама собой, оставив правду за органическим образом.

От многих моих религиозных стихов и поэм я бы с удовольствием отказался, но они имеют большое значение как путь поэта до революции.

С восьми лет бабка таскала меня по разным монастырям, из-за нее у нас вечно ютились всякие странники и странницы. Распевались разные духовные стихи. Дед напротив. Был не дурак выпить. С его стороны устраивались вечные невенчанные свадьбы.

После, когда я ушел из деревни, мне долго пришлось разбираться в своем укладе.

В годы революции был всецело на стороне Октября, но принимал все по-своему, с крестьянским уклоном.

В смысле формального развития теперь меня тянет все больше к Пушкину.

Что касается остальных автобиографических сведений, — они в моих стихах.

Октябрь 1925

Стихотворения

* * *

Вот уж вечер. Роса
Блестит на крапиве.
Я стою у дороги,
Прислонившись к иве.

От луны свет большой
Прямо на нашу крышу.
Где-то песнь соловья
Вдалеке я слышу.

Хорошо и тепло,
Как зимой у печки.
И березы стоят,
Как большие свечки.

И вдали за рекой,
Видно, за опушкой,
Сонный сторож стучит
Мертвой колотушкой.

1910

* * *

Там, где капустные грядки
Красной водой поливает восход,
Клененочек маленький матке
Зеленое вымя сосет.

1910

* * *

Выткался на озере алый свет зари.
На бору со звонами плачут глухари.

Плачет где-то иволга, схоронясь в дупло.
Только мне не плачется — на душе светло.

Знаю, выйдешь к вечеру за кольцо дорог,
Сядем в копны свежие под соседний стог.

Зацелую допьяна, изомну, как цвет,
Хмельному от радости пересуду нет.

Ты сама под ласками сбросишь шелк фаты,
Унесу я пьяную до утра в кусты.

И пускай со звонами плачут глухари,
Есть тоска веселая в алостях зари.

1910

* * *

Хороша была Танюша, краше не было в селе,
Красной рюшкою по белу сарафан на подоле.
У оврага за плетнями ходит Таня ввечеру.
Месяц в облачном тумане водит с тучами игру.

Вышел парень, поклонился кучерявой головой:
«Ты прощай ли, моя радость, я женюся на другой».
Побледнела, словно саван, схолодела, как роса.
Душегубкою-змеею развилась ее коса.

«Ой ты, парень синеглазый, не в обиду я скажу,
Я пришла тебе сказаться: за другого выхожу».
Не заутренние звоны, а венчальный переклик,
Скачет свадьба на телегах, верховые прячут лик.

Не кукушки загрустили — плачет Танина родня,
На виске у Тани рана от лихого кистеня.
Алым венчиком кровинки запеклися на челе, —
Хороша была Танюша, краше не было в селе.

1911

* * *

Задымился вечер, дремлет кот на брусе.
Кто-то помолился: «Господи Исусе».

Полыхают зори, курятся туманы,
Над резным окошком занавес багряный.

Вьются паутины с золотой повети.
Где-то мышь скребется в затворенной клети...

У лесной поляны — в свяслах копны хлеба,
Ели, словно копья, уперлися в небо.

Закадили дымом под росою рощи...
В сердце почивают тишина и мощи.

1912

БЕРЕЗА

Белая береза
Под моим окном
Принакрылась снегом,
Точно серебром.

На пушистых ветках
Снежною каймой
Распустились кисти
Белой бахромой.

И стоит береза
В сонной тишине,
И горят снежинки
В золотом огне.

А заря, лениво
Обходя кругом,
Обсыпает ветки
Новым серебром.

<1913>

* * *

Край любимый! Сердцу снятся
Скирды солнца в водах лонных.
Я хотел бы затеряться
В зеленях твоих стозвонных.

По меже, на переметке,
Резеда и риза кашки.
И вызванивают в четки
Ивы — кроткие монашки.

Курит облаком болото,
Гарь в небесном коромысле.
С тихой тайной для кого-то
Затаил я в сердце мысли.

Все встречаю, все приемлю,
Рад и счастлив душу вынуть.
Я пришел на эту землю,
Чтоб скорей ее покинуть.

1914

* * *

Пойду в скуфье смиренным иноком
Иль белобрысым босяком —
Туда, где льется по равнинам
Березовое молоко.

Хочу концы земли измерить,
Доверясь призрачной звезде,
И в счастье ближнего поверить
В звенящей рожью борозде.

Рассвет рукой прохлады росной
Сшибает яблоки зари.
Сгребая сено на покосах,
Поют мне песни косари.

Глядя за кольца лычных прясел,
Я говорю с самим собой:
Счастлив, кто жизнь свою украсил
Бродяжной палкой и сумой.

Счастлив, кто в радости убогой,
Живя без друга и врага,
Пройдет проселочной дорогой,
Молясь на копны и стога.

1914

* * *

Шел Господь пытать людей в любови,
Выходил он нищим на купежку.
Старый дед на пне сухом, в дуброве,
Жамкал деснами зачерствелую пышку.

Увидал дед нищего дорогой,
На тропинке, с клюшкою железной,
И подумал: «Вишь, какой убогой, —
Знать, от голода качается, болезный».

Подошел Господь, скрывая скорбь и муку:
Видно, мол, сердца их не разбудишь...
И сказал старик, протягивая руку:
«На, пожуй... маленько крепче будешь».

1914

* * *

Гой ты, Русь, моя родная,
Хаты — в ризах образа...
Не видать конца и края —
Только синь сосет глаза.

Как захожий богомолец,
Я смотрю твои поля.
А у низеньких околиц
Звонко чахнут тополя.

Пахнет яблоком и медом
По церквам твой кроткий Спас.
И гудит за корогодом
На лугах веселый пляс.

Побегу по мятой стежке
На приволь зеленых лех,
Мне навстречу, как сережки,
Прозвенит девичий смех.

Если крикнет рать святая:
«Кинь ты Русь, живи в раю!» —
Я скажу: «Не надо рая,
Дайте родину мою».

1914

* * *

Черная, потом пропахшая выть!
Как мне тебя не ласкать, не любить?

Выйду на озеро в синюю гать,
К сердцу вечерняя льнет благодать.

Серым веретьем стоят шалаши,
Глухо баюкают хлюпь камыши.

Красный костер окровил таганы,
В хворосте белые веки луны.

Тихо, на корточках, в пятнах зари
Слушают сказ старика косари.

Где-то вдали, на кукане реки,
Дремную песню поют рыбаки.

Оловом светится лужная голь...
Грустная песня, ты — русская боль.

1914

РУСЬ

1

Потонула деревня в ухабинах,
Заслонили избенки леса.
Только видно, на кочках и впадинах,
Как синеют кругом небеса.

Воют в сумерки долгие, зимние,
Волки грозные с тощих полей.
По дворам в погорающем инее
Над застрехами храп лошадей.

Как совиные глазки, за ветками
Смотрят в шали пурги огоньки.
И стоят за дубровными сетками,
Словно нечисть лесная, пеньки.

Запугала нас сила нечистая,
Что ни прорубь — везде колдуны.
В злую заморозь в сумерки мглистые
На березках висят галуны.

2

Но люблю тебя, родина кроткая!
А за что — разгадать не могу.
Весела твоя радость короткая
С громкой песней весной на лугу.

Я люблю над покосной стоянкою
Слушать вечером гуд комаров.
А как гаркнут ребята тальянкою,
Выйдут девки плясать у костров.

Загорятся, как черна смородина,
Угли-очи в подковах бровей.
Ой ты, Русь моя, милая родина,
Сладкий отдых в шелку купырей.

3

Понакаркали черные вороны:
Грозным бедам широкий простор.
Крутит вихорь леса во все стороны,
Машет саваном пена с озер.

Грянул гром, чашка неба расколота,
Тучи рваные кутают лес.
На подвесках из легкого золота
Закачались лампадки небес.

Повестили под окнами сотские
Ополченцам идти на войну.
Загыгыкали бабы слободские,
Плач прорезал кругом тишину.

Собиралися мирные пахари
Без печали, без жалоб и слез,
Клали в сумочки пышки на сахаре
И пихали на кряжистый воз.

По селу до высокой околицы
Провожал их огулом народ...
Вот где, Русь, твои добрые молодцы,
Вся опора в годину невзгод.

Затомилась деревня невесточкой —
Как-то милые в дальнем краю?
Отчего не уведомят весточкой, —
Не погибли ли в жарком бою?

В роще чудились запахи ладана,
В ветре бластились стуки костей.
И пришли к ним нежданно-негаданно
С дальней волости груды вестей.

Сберегли по ним пахари памятку,
С потом вывели всем по письму.
Подхватили тут родные грамотку,
За ветловую сели тесьму.

Собралися над четницей Лушею
Допытаться любимых речей.
И на корточках плакали, слушая,
На успехи родных силачей.

Ах, поля мои, борозды милые,
Хороши вы в печали своей!
Я люблю эти хижины хилые
С поджиданьем седых матерей.

Припаду к лапоточкам берестяным,
Мир вам, грабли, коса и соха!
Я гадаю по взорам невестиным
На войне о судьбе жениха.

Помирился я с мыслями слабыми,
Хоть бы стать мне кустом у воды.

Я хочу верить в лучшее с бабами,
Тепля свечку вечерней звезды.

Разгадал я их думы несметные,
Не спугнет их ни гром и ни тьма.
За сохою под песни заветные
Не причудится смерть и тюрьма.

Они верили в эти каракули,
Выводимые с тяжким трудом,
И от счастья и радости плакали,
Как в засуху над первым дождем.

А за думой разлуки с родимыми
В мягких травах, под бусами рос,
Им мерещился в далях за дымами
Над лугами веселый покос.

Ой ты, Русь, моя родина кроткая,
Лишь к тебе я любовь берегу.
Весела твоя радость короткая
С громкой песней весной на лугу.

1914

КОРОВА

Дряхлая, выпали зубы,
Свиток годов на рогах.
Бил ее выгонщик грубый
На перегонных полях.

Сердце неласково к шуму,
Мыши скребут в уголке.
Думает грустную думу
О белоногом телке.

Не дали матери сына,
Первая радость не впрок.
И на колу под осиной
Шкуру трепал ветерок.

Скоро на гречневом свее,
С той же сыновней судьбой,
Свяжут ей петлю на шее
И поведут на убой.

Жалобно, грустно и тоще
В землю вопьются рога...
Снится ей белая роща
И травяные луга.

1915

ПЕСНЬ О СОБАКЕ

Утром в ржаном закуте,
Где златятся рогожи в ряд,
Семерых ощенила сука,
Рыжих семерых щенят.

До вечера она их ласкала,
Причесывая языком,
И струился снежок подталый
Под теплым ее животом.

А вечером, когда куры
Обсиживают шесток,
Вышел хозяин хмурый,
Семерых всех поклал в мешок.

По сугробам она бежала,
Поспевая за ним бежать...
И так долго, долго дрожала
Воды незамерзшей гладь.

А когда чуть плелась обратно,
Слизывая пот с боков,
Показался ей месяц над хатой
Одним из ее щенков.

В синюю высь звонко
Глядела она, скуля,
А месяц скользил тонкий
И скрылся за холм в полях.

И глухо, как от подачки,
Когда бросят ей камень в смех,
Покатились глаза собачьи
Золотыми звездами в снег.

1915

ОСЕНЬ

Р. В. Иванову

Тихо в чаще можжевеля по обрыву.
Осень — рыжая кобыла — чешет гриву.

Над речным покровом берегов
Слышен синий лязг ее подков.

Схимник-ветер шагом осторожным
Мнет листву по выступам дорожным.

И целует на рябиновом кусту
Язвы красные незримому Христу.

<1914—1916>

* * *

День ушел, убавилась черта,
Я опять подвинулся к уходу.
Легким взмахом белого перста
Тайны лет я разрезаю воду.

В голубой струе моей судьбы
Накипи холодной бьется пена,
И кладет печать немого плена
Складку новую у сморщенной губы.

С каждым днем я становлюсь чужим
И себе, и жизнь кому велела.
Где-то в поле чистом, у межи,
Оторвал я тень свою от тела.

Неодетая она ушла,
Взяв мои изогнутые плечи.
Где-нибудь она теперь далече
И другого нежно обняла.

Может быть, склоняяся к нему,
Про меня она совсем забыла
И, вперившись в призрачную тьму,
Складки губ и рта переменила.

Но живет по звуку прежних лет,
Что, как эхо, бродит за горами.
Я целую синими губами
Черной тенью тиснутый портрет.

<1916>

* * *

Я снова здесь, в семье родной,
Мой край, задумчивый и нежный!
Кудрявый сумрак за горой
Рукою машет белоснежной.

Седины пасмурного дня
Плывут всклокоченные мимо,
И грусть вечерняя меня
Волнует непреодолимо.

Над куполом церковных глав
Тень от зари упала ниже.
О други игрищ и забав,
Уж я вас больше не увижу!

В забвенье канули года,
Вослед и вы ушли куда-то.
И лишь по-прежнему вода
Шумит за мельницей крылатой.

И часто я в вечерней мгле,
Под звон надломленной осоки,
Молюсь дымящейся земле
О невозвратных и далеких.

<1916>

* * *

Не бродить, не мять в кустах багряных
Лебеды и не искать следа.
Со снопом волос твоих овсяных
Отоснилась ты мне навсегда.

С алым соком ягоды на коже,
Нежная, красивая, была
На закат ты розовый похожа
И, как снег, лучиста и светла.

Зерна глаз твоих осыпались, завяли,
Имя тонкое растаяло, как звук,
Но остался в складках смятой шали
Запах меда от невинных рук.

В тихий час, когда заря на крыше,
Как котенок, моет лапкой рот,
Говор кроткий о тебе я слышу
Водяных поющих с ветром сот.

Пусть порой мне шепчет синий вечер,
Что была ты песня и мечта,
Всё ж кто выдумал твой гибкий стан и плечи —
К светлой тайне приложил уста.

Не бродить, не мять в кустах багряных
Лебеды и не искать следа.
Со снопом волос твоих овсяных
Отоснилась ты мне навсегда.

<1916>

* * *

Тучи с ожереба
Ржут, как сто кобыл.
Плещет надо мною
Пламя красных крыл.

Небо словно вымя,
Звезды как сосцы.
Пухнет Божье имя
В животе овцы.

Верю: завтра рано,
Чуть забрезжит свет,
Новый под туманом
Вспыхнет Назарет.

Новое восславят
Рождество поля,
И, как пес, пролает
За горой заря.

Только знаю: будет
Страшный вопль и крик,
Отрекутся люди
Славить новый лик.

Скрежетом булата
Вздыбят пасть земли...
И со щек заката
Спрыгнут скулы-дни.

Побегут, как лани,
В степь иных сторон,
Где вздымает длани
Новый Симеон.

1916

* * *

То не тучи бродят за овином
    И не холод.
Замесила Божья матерь сыну
    Колоб.

Всякой снадобью она поила жито
    В масле.
Испекла и положила тихо
    В ясли.

Заигрался в радости младенец,
    Пал в дрему,
Уронил он колоб золоченый
    На солому.

Покатился колоб за ворота
    Рожью.
Замутили слезы душу голубую
    Божью.

Говорила Божья матерь сыну
    Советы:
«Ты не плачь, мой лебеденочек,
    Не сетуй.

На земле все люди человеки,
    Чада.
Хоть одну им малую забаву
    Надо.

Жутко им меж темных
      Перелесиц,
Назвала я этот колоб —
      Месяц».

1916

* * *

Устал я жить в родном краю
В тоске по гречневым просторам,
Покину хижину мою,
Уйду бродягою и вором.

Пойду по белым кудрям дня
Искать убогое жилище.
И друг любимый на меня
Наточит нож за голенище.

Весной и солнцем на лугу
Обвита желтая дорога,
И та, чье имя берегу,
Меня прогонит от порога.

И вновь вернусь я в отчий дом,
Чужою радостью утешусь,
В зеленый вечер под окном
На рукаве своем повешусь.

Седые вербы у плетня
Нежнее головы наклонят.
И необмытого меня
Под лай собачий похоронят.

А месяц будет плыть и плыть,
Роняя весла по озерам,
И Русь все так же будет жить,
Плясать и плакать у забора.

<1916>

* * *

Разбуди меня завтра рано,
О моя терпеливая мать!
Я пойду за дорожным курганом
Дорогого гостя встречать.

Я сегодня увидел в пуще
След широких колес на лугу.
Треплет ветер под облачной кущей
Золотую его дугу.

На рассвете он завтра промчится,
Шапку-месяц пригнув под кустом,
И игриво взмахнет кобылица
Над равниною красным хвостом.

Разбуди меня завтра рано,
Засвети в нашей горнице свет.
Говорят, что я скоро стану
Знаменитый русский поэт.

Воспою я тебя и гостя,
Нашу печь, петуха и кров...
И на песни мои прольется
Молоко твоих рыжих коров.

1917

* * *

Свищет ветер под крутым забором,
    Прячется в траву.
Знаю я, что пьяницей и вором
    Век свой доживу.
Тонет день за красными холмами,
    Кличет на межу.
Не один я в этом свете шляюсь,
    Не один брожу.
Размахнулось поле русских пашен,
    То трава, то снег,
Все равно, литвин я иль чувашин,
    Крест мой как у всех.
Верю я, как ликам чудотворным,
    В мой потайный час.
Он придет бродягой подзаборным,
    Нерушимый Спас.
Но, быть может, в синих клочьях дыма
    Тайноводных рек
Я пройду его с улыбкой пьяной мимо,
    Не узнав навек.
Не блеснет слеза в моих ресницах,
    Не вспугнет мечту.
Только радость синей голубицей
    Канет в темноту.
И опять, как раньше, с дикой злостью
    Запоет тоска...
Пусть хоть ветер на моем погосте
    Пляшет трепака.

<1917>

ПРЕОБРАЖЕНИЕ

Разумнику Иванову

1

Облаки лают,
Ревет златозубая высь...
Пою и взываю:
Господи, отелись!

Перед воротами в рай
Я стучусь;
Звездами спеленай
Телицу-Русь.

За тучи тянется моя рука,
Бурею шумит песнь.
Небесного молока
Даждь мне днесь.

Грозно гремит твой гром,
Чудится плеск крыл.
Новый Содом
Сжигает Егудиил.

Но твердо, не глядя назад,
По ниве вод
Новый из красных врат
Выходит Лот.

Не потому ль в березовых
Кустах поет сверчок
О том, как ликом розовым
Окапал рожь восток;

О том, как Богородица,
Накинув синий плат,
У облачной околицы
Скликает в рай телят.

С утра над осенни́цею
Я слышу зов трубы.
Теленькает синицею
Он про глагол судьбы.

«О, веруй, небо вспенится,
Как лай, сверкнет волна.
Над рощею ощенится
Златым щенком луна.

Иной травой и чащею
Отенит мир вода.
Малиновкой журчащею
Слетит в кусты звезда.

И выползет из колоса,
Как рой, пшеничный злак,
Чтобы пчелиным голосом
Озлатонивить мрак...»

3

Ей, россияне!
Ловцы вселенной,
Неводом зари зачерпнувшие небо, —
Трубите в трубы.

Под плугом бури
Ревет земля.
Рушит скалы златоклыкий
Омеж.

Новый сеятель
Бредет по полям,
Новые зерна
Бросает в борозды.

Светлый гость в колымаге к вам
Едет.
По тучам бежит
Кобылица.

Шлея на кобыле —
Синь.
Бубенцы на шлее —
Звезды.

4

Стихни, ветер,
Не лай, водяное стекло.
С небес через красные сети
Дождит молоко.

Мудростью пухнет слово,
Вязью колося поля.
Над тучами, как корова,
Хвост задрала заря.

Вижу тебя из окошка,
Зиждитель щедрый,
Ризою над землею
Свесивший небеса.

Ныне
Солнце, как кошка,
С небесной вербы
Лапкою золотою
Трогает мои волоса.

5

Зреет час преображенья,
Он сойдет, наш светлый гость,
Из распятого терпенья
Вынуть выржавленный гвоздь.

От утра и от полудня
Под поющий в небе гром,
Словно ведра, наши будни
Он наполнит молоком.

И от вечера до ночи,
Незакатный славя край,
Будет звездами пророчить
Среброзлачный урожай.

А когда над Волгой месяц
Склонит лик испить воды, —
Он, в ладью златую свесясь,
Уплывет в свои сады.

И из лона голубого,
Широко взмахнув веслом,
Как яйцо, нам сбросит слово
С проклевавшимся птенцом.

<1917>

* * *

О, верю, верю, счастье есть!
Еще и солнце не погасло.
Заря молитвенником красным
Пророчит благостную весть...
О, верю, верю, счастье есть.

Звени, звени, златая Русь,
Волнуйся, неуемный ветер!
Блажен, кто радостью отметил
Твою пастушескую грусть.
Звени, звени, златая Русь.

Люблю я ропот буйных вод
И на волне звезды сиянье.
Благословенное страданье,
Благословляющий народ.
Люблю я ропот буйных вод.

1917

ИНОНИЯ

Пророку Иеремии

1

Не устрашуся гибели,
Ни копий, ни стрел дождей, —
Так говорит по Библии
Пророк Есенин Сергей.

Время мое приспело,
Не страшен мне лязг кнута.
Тело, Христово тело,
Выплевываю изо рта.

Не хочу восприять спасения
Через муки Его и крест:
Я иное постиг учение
Прободающих вечность звезд.

Я иное узрел пришествие —
Где не пляшет над правдой смерть.
Как овцу от поганой шерсти, я
Остригу голубую твердь.

Подыму свои руки к месяцу,
Раскушу его, как орех.
Не хочу я небес без лестницы,
Не хочу, чтобы падал снег.

Не хочу, чтоб умело хмуриться
На озерах зари лицо.
Я сегодня снесся, как курица,
Золотым словесным яйцом.

Я сегодня рукой упругою
Готов повернуть весь мир...
Грозовой расплескались вьюгою
От плечей моих восемь крыл.

2

Лай колоколов над Русью грозный —
Это плачут стены Кремля.
Ныне на пики звездные
Вздыбливаю тебя, земля!

Протянусь до незримого города,
Млечный прокушу покров.
Даже Богу я выщиплю бороду
Оскалом моих зубов.

Ухвачу его за гриву белую
И скажу ему голосом вьюг:
Я иным тебя, Господи, сделаю,
Чтобы зрел мой словесный луг!

Проклинаю я дыхание Китежа
И все лощины его дорог.
Я хочу, чтоб на бездонном вытяже
Мы воздвигли себе чертог.

Языком вылижу на иконах я
Лики мучеников и святых.
Обещаю вам град Инонию,
Где живет божество живых!

Плачь и рыдай, Московия!
Новый пришел Индикоплов.
Все молитвы в твоем часослове я
Проклюю моим клювом слов.

Уведу твой народ от упования,
Дам ему веру и мощь,
Чтобы плугом он в зори ранние
Распахивал с солнцем нощь.

Чтобы поле его словесное
Выращало ульями злак,
Чтобы зерна под крышей небесною
Озлащали, как пчелы, мрак.

Проклинаю тебя я, Радонеж,
Твои пятки и все следы!
Ты огня золотого залежи
Разрыхлял киркою воды.

Стая туч твоих, по-волчьи лающих,
Словно стая злющих волков,
Всех зовущих и всех дерзающих
Прободала копьем клыков.

Твое солнце когтистыми лапами
Прокогтялось в душу, как нож.
На реках вавилонских мы плакали,
И кровавый мочил нас дождь.

Ныне ж бури воловьим голосом
Я кричу, сняв с Христа штаны:
Мойте руки свои и волосы
Из лоханки второй луны.

Говорю вам — вы все погибнете,
Всех задушит вас веры мох.

По-иному над нашей выгибью
Вспух незримой коровой Бог.

И напрасно в пещеры селятся
Те, кому ненавистен рев.
Все равно — он иным отелится
Солнцем в наш русский кров.

Все равно — он спалит телением,
Что ковало реке брега.
Разгвоздят мировое кипение
Золотые его рога.

Новый сойдет Олипий
Начертать его новый лик.
Говорю вам — весь воздух выпью
И кометой вытяну язык.

До Египта раскорячу ноги,
Раскую с вас подковы мук...
В оба полюса снежнорогие
Вопьюся клещами рук.

Коленом придавлю экватор
И, под бури и вихря плач,
Пополам нашу землю-матерь
Разломлю, как златой калач.

И в провал, отененный бездною,
Чтобы мир весь слышал тот треск,
Я главу свою власозвездную
Просуну, как солнечный блеск.

И четыре солнца из облачья,
Как четыре бочки с горы,

Золотые рассыпав обручи,
Скатясь, всколыхнут миры.

3

И тебе говорю, Америка,
Отколотая половина земли, —
Страшись по морям безверия
Железные пускать корабли!

Не отягивай чугунной радугой
Нив и гранитом — рек.
Только водью свободной Ладоги
Просверлит бытие человек!

Не вбивай руками синими
В пустошь потолок небес:
Не построить шляпками гвоздиными
Сияние далеких звезд.

Не залить огневого брожения
Лавой стальной руды.
Нового вознесения
Я оставлю на земле следы.

Пятками с облаков свесюсь,
Прокопыть тучи, как лось;
Колесами солнце и месяц
Надену на земную ось.

Говорю тебе — не пой молебствия
Проволочным твоим лучам.
Не осветят они пришествия,
Бегущего овцой по горам!

Сыщется в тебе стрелок еще
Пустить в его грудь стрелу.

Словно полымя, с белой шерсти его
Брызнет теплая кровь во мглу.

Звездами золотые копытца
Скатятся, взбороздив нощь.
И опять замелькает спицами
Над чулком ее черным дождь.

Возгремлю я тогда колесами
Солнца и луны, как гром;
Как пожар, размечу волосья
И лицо закрою крылом.

За уши встряхну я горы,
Копьями вытяну ковыль.
Все тыны твои, все заборы
Горстью смету, как пыль.

И вспашу я черные щеки
Нив твоих новой сохой;
Золотой пролетит сорокой
Урожай над твоей страной.

Новый он сбросит жителям
Крыл колосистых звон.
И, как жерди златые, вытянет
Солнце лучи на дол.

Новые вырастут сосны
На ладонях твоих полей.
И, как белки, желтые весны
Будут прыгать по сучьям дней.

Синие забрезжут реки,
Просверлив все преграды глыб.

И заря, опуская веки,
Будет звездных ловить в них рыб.

Говорю тебе — будет время,
Отплещут уста громов;
Прободят голубое темя
Колосья твоих хлебов.

И над миром с незримой лестницы,
Оглашая поля и луг,
Проклевавшись из сердца месяца,
Кукарекнув, взлетит петух.

4

По тучам иду, как по ниве, я,
Свесясь головою вниз.
Слышу плеск голубого ливня
И светил тонкоклювых свист.

В синих отражаюсь затонах
Далеких моих озер.
Вижу тебя, Инония,
С золотыми шапками гор.

Вижу нивы твои и хаты,
На крылечке старушку-мать;
Пальцами луч заката
Старается она поймать.

Прищемит его у окошка,
Схватит на своем горбе, —
А солнышко, словно кошка,
Тянет клубок к себе.

И тихо под шепот речки,
Прибрежному эху в подол,
Каплями незримой свечки
Капает песня с гор:

«Слава в вышних Богу
И на земле мир!
Месяц синим рогом
Тучи прободил.

Кто-то вывел гуся
Из яйца звезды —
Светлого Исуса
Проклевать следы.

Кто-то с новой верой,
Без креста и мук,
Натянул на небе
Радугу, как лук.

Радуйся, Сионе,
Проливай свой свет!
Новый в небосклоне
Вызрел Назарет.

Новый на кобыле
Едет к миру Спас.
Наша вера — в силе.
Наша правда — в нас!»

1918

ИОРДАНСКАЯ ГОЛУБИЦА

1

Земля моя златая!
Осенний светлый храм!
Гусей крикливых стая
Несется к облакам.

То душ преображенных
Несчислимая рать,
С озер поднявшись сонных,
Летит в небесный сад.

А впереди их лебедь.
В глазах, как роща, грусть.
Не ты ль так плачешь в небе,
Отчалившая Русь?

Лети, лети, не бейся,
Всему есть час и брег.
Ветра стекают в песню,
А песня канет в век.

2

Небо — как колокол,
Месяц — язык,
Мать моя — родина,
Я — большевик.

Ради вселенского
Братства людей
Радуюсь песней я
Смерти твоей.

Крепкий и сильный,
На гибель твою
В колокол синий
Я месяцем бью.

Братья миряне,
Вам моя песнь.
Слышу в тумане я
Светлую весть.

3

Вот она, вот голубица,
Севшая ветру на длань.
Снова зарею клубится
Мой луговой Иордань.

Славлю тебя, голубая,
Звездами вбитая высь.
Снова до отчего рая
Руки мои поднялись.

Вижу вас, злачные нивы,
С стадом буланых коней.
С дудкой пастушеской в ивах
Бродит апостол Андрей.

И, полная боли и гнева,
Там, на окрайне села,
Мати Пречистая дева
Розгой стегает осла.

4

Братья мои, люди, люди!
Все мы, все когда-нибудь
В тех благих селеньях будем,
Где протоптан Млечный Путь.

Не жалейте же ушедших,
Уходящих каждый час, —
Там на ландышах расцветших
Лучше, чем в полях у нас.

Страж любви — судьба-мздоимец
Счастье пестует не век.
Кто сегодня был любимец —
Завтра нищий человек.

5

О новый, новый, новый,
Прорезавший тучи день!
Отроком солнцеголовым
Сядь ты ко мне под плетень.

Дай мне твои волосья
Гребнем луны расчесать.
Этим обычаем гостя
Мы научились встречать.

Древняя тень Маврикии
Родственна нашим холмам,
Дождиком в нивы златые
Нас посетил Авраам.

Сядь ты ко мне на крылечко,
Тихо склонись ко плечу.

Синюю звездочку свечкой
Я пред тобой засвечу.

Буду тебе я молиться,
Славить твою Иордань...
Вот она, вот голубица,
Севшая ветру на длань.

20—23 июня 1918
Константиново

* * *

Л. И. Кашиной

Зеленая прическа,
Девическая грудь,
О тонкая березка,
Что загляделась в пруд?

Что шепчет тебе ветер?
О чем звенит песок?
Иль хочешь в косы-ветви
Ты лунный гребешок?

Открой, открой мне тайну
Твоих древесных дум,
Я полюбил печальный
Твой предосенний шум.

И мне в ответ березка:
«О любопытный друг,
Сегодня ночью звездной
Здесь слезы лил пастух.

Луна стелила тени,
Сияли зеленя.
За голые колени
Он обнимал меня.

И так, вдохнувши глубко,
Сказал под звон ветвей:
«Прощай, моя голубка,
До новых журавлей».

<1918>

* * *

Клюеву

Теперь любовь моя не та.
Ах, знаю я, ты тужишь, тужишь
О том, что лунная метла
Стихов не расплескала лужи.

Грустя и радуясь звезде,
Спадающей тебе на брови,
Ты сердце выпеснил избе,
Но в сердце дома не построил.

И тот, кого ты ждал в ночи,
Прошел, как прежде, мимо крова.
О друг, кому ж твои ключи
Ты золотил поющим словом?

Тебе о солнце не пропеть,
В окошко не увидеть рая.
Так мельница, крылом махая,
С земли не может улететь.

1918

КАНТАТА

Спите, любимые братья.
Снова родная земля
Неколебимые рати
Движет под стены Кремля.

Новые в мире зачатья,
Зарево красных зарниц...
Спите, любимые братья,
В свете нетленных гробниц.

Солнце златою печатью
Стражем стоит у ворот...
Спите, любимые братья,
Мимо вас движется ратью
К зорям вселенским народ.

<1918>

ПАНТОКРАТОР

1

Славь, мой стих, кто ревет и бесится,
Кто хоронит тоску в плече,
Лошадиную морду месяца
Схватить за узду лучей.

Тысчи лет те же звезды славятся,
Тем же медом струится плоть.
Не молиться тебе, а лаяться
Научил ты меня, Господь.

За седины твои кудрявые,
За копейки с златых осин
Я кричу тебе: «К черту старое!»,
Непокорный, разбойный сын.

И за эти щедроты теплые,
Что сочишь ты дождями в муть,
О, какими, какими метлами
Это солнце с небес стряхнуть?

2

Там, за млечными холмами,
Средь небесных тополей,
Опрокинулся над нами
Среброструйный Водолей.

Он Медведицей с лазури —
Как из бочки черпаком.
В небо вспрыгнувшая буря
Села месяцу верхом.

В вихре снится сонм умерших,
Молоко дымящий сад,
Вижу, дед мой тянет вершей
Солнце с полдня на закат.

Отче, отче, ты ли внука
Услыхал в сей скорбный срок?
Знать, недаром в сердце мукал
Издыхающий телок.

3

Кружися, кружися, кружися,
Чекань твоих дней серебро!
Я понял, что солнце из выси —
В колодезь златое ведро.

С земли на незримую сушу
Отчалить и мне суждено.
Я сам положу мою душу
На это горящее дно.

Но знаю — другими очами
Умершие чуют живых.
О, дай нам с земными ключами
Предстать у ворот золотых.

Дай с нашей овсяною волей
Засовы чугунные сбить,
С разбега по ровному полю
Заре на закорки вскочить.

Сойди, явись нам, красный конь!
Впрягись в земли оглобли.
Нам горьким стало молоко
Под этой ветхой кровлей.

Пролей, пролей нам над водой
Твое глухое ржанье
И колокольчиком-звездой
Холодное сиянье.

Мы радугу тебе — дугой,
Полярный круг — на сбрую.
О, вывези наш шар земной
На колею иную.

Хвостом земле ты прицепись,
С зари отчалься гривой.
За эти тучи, эту высь
Скачи к стране счастливой.

И пусть они, те, кто во мгле
Нас пьют лампадой в небе,
Увидят со своих полей,
Что мы к ним в гости едем.

<1919>

* * *

Душа грустит о небесах,
Она нездешних нив жилица.
Люблю, когда на деревах
Огонь зеленый шевелится.

То сучья золотых стволов,
Как свечи, теплятся пред тайной,
И расцветают звезды слов
На их листве первоначальной.

Понятен мне земли глагол,
Но не стряхну я муку эту,
Как отразивший в водах дол
Вдруг в небе ставшую комету.

Так кони не стряхнут хвостами
В хребты их пьющую луну...
О, если б прорасти глазами,
Как эти листья, в глубину.

1919

* * *

Мариенгофу

Я последний поэт деревни,
Скромен в песнях дощатый мост.
За прощальной стою обедней
Кадящих листвой берез.

Догорит золотистым пламенем
Из телесного воска свеча,
И луны часы деревянные
Прохрипят мой двенадцатый час.

На тропу голубого поля
Скоро выйдет железный гость.
Злак овсяный, зарею пролитый,
Соберет его черная горсть.

Не живые, чужие ладони,
Этим песням при вас не жить!
Только будут колосья-кони
О хозяине старом тужить.

Будет ветер сосать их ржанье,
Панихидный справляя пляс.
Скоро, скоро часы деревянные
Прохрипят мой двенадцатый час!

<1920>

ХУЛИГАН

Дождик мокрыми метлами чистит
Ивняковый помет по лугам.
Плюйся, ветер, охапками листьев, —
Я такой же, как ты, хулиган.

Я люблю, когда синие чащи,
Как с тяжелой походкой волы,
Животами, листвой хрипящими,
По коленкам марают стволы.

Вот оно, мое стадо рыжее!
Кто ж воспеть его лучше мог?
Вижу, вижу, как сумерки лижут
Следы человечьих ног.

Русь моя, деревянная Русь!
Я один твой певец и глашатай.
Звериных стихов моих грусть
Я кормил резедой и мятой.

Взбрезжи, полночь, луны кувшин
Зачерпнуть молока берез!
Словно хочет кого придушить
Руками крестов погост!

Бродит черная жуть по холмам,
Злобу вора струит в наш сад,
Только сам я разбойник и хам
И по крови степной конокрад.

Кто видал, как в ночи кипит
Кипяченых черемух рать?
Мне бы в ночь в голубой степи
Где-нибудь с кистенем стоять.

Ах, увял головы моей куст,
Засосал меня песенный плен.
Осужден я на каторге чувств
Вертеть жернова поэм.

Но не бойся, безумный ветер,
Плюй спокойно листвой по лугам.
Не сотрет меня кличка «поэт»,
Я и в песнях, как ты, хулиган.

<1920>

СОРОКОУСТ

А. Мариенгофу

1

Трубит, трубит погибельный рог!
Как же быть, как же быть теперь нам
На измызганных ляжках дорог?

Вы, любители песенных блох,
Не хотите ль ....

Полно кротостью мордищ праздниться,
Любо ль, не любо ль — знай бери.
Хорошо, когда сумерки дразнятся
И всыпают нам в толстые задницы
Окровавленный веник зари.

Скоро заморозь известью выбелит
Тот поселок и эти луга.
Никуда вам не скрыться от гибели,
Никуда не уйти от врага.
Вот он, вот он с железным брюхом,
Тянет к глоткам равнин пятерню,

Водит старая мельница ухом,
Навострив мукомольный нюх.
И дворовый молчальник бык,
Что весь мозг свой на телок пролил,
Вытирая о прясло язык,
Почуял беду над полем.

Ах, не с того ли за селом
Так плачет жалостно гармоника:
Таля-ля-ля, тили-ли-гом
Висит над белым подоконником.
И желтый ветер осенницы
Не потому ль, синь рябью тронув,
Как будто бы с коней скребницей,
Очесывает листья с кленов.
Идет, идет он, страшный вестник,
Пятой громоздкой чащи ломит.
И все сильней тоскуют песни
Под лягушиный писк в соломе.
О, электрический восход.
Ремней и труб глухая хватка,
Се изб древенчатый живот
Трясет стальная лихорадка!

Видели ли вы,
Как бежит по степям,
В туманах озерных кроясь,
Железной ноздрей храпя,
На лапах чугунных поезд?

А за ним
По большой траве,
Как на празднике отчаянных гонок,
Тонкие ноги закидывая к голове,
Скачет красногривый жеребенок?

Милый, милый, смешной дуралей,
Ну куда он, куда он гонится?
Неужель он не знает, что живых коней

Победила стальная конница?
Неужель он не знает, что в полях бессиянных
Той поры не вернет его бег,
Когда пару красивых степных россиянок
Отдавал за коня печенег?
По-иному судьба на торгах перекрасила
Наш разбуженный скрежетом плес,
И за тысчи пудов конской кожи и мяса
Покупают теперь паровоз.

4

Черт бы взял тебя, скверный гость!
Наша песня с тобой не сживется.
Жаль, что в детстве тебя не пришлось
Утопить, как ведро в колодце.
Хорошо им стоять и смотреть,
Красить рты в жестяных поцелуях, —
Только мне, как псаломщику, петь
Над родимой страной аллилуйя.
Оттого-то в сентябрьскую склень
На сухой и холодный суглинок,
Головой размозжась о плетень,
Облилась кровью ягод рябина.
Оттого-то вросла тужиль
В переборы тальянки звонкой.
И соломой пропахший мужик
Захлебнулся лихой самогонкой.

1920

ИСПОВЕДЬ ХУЛИГАНА

Не каждый умеет петь,
Не каждому дано яблоком
Падать к чужим ногам.
Сие есть самая великая исповедь,
Которой исповедуется хулиган.

Я нарочно иду нечесаным,
С головой, как керосиновая лампа, на плечах.
Ваших душ безлиственную осень
Мне нравится в потемках освещать.
Мне нравится, когда каменья брани
Летят в меня, как град рыгающей грозы,
Я только крепче жму тогда руками
Моих волос качнувшийся пузырь.

Так хорошо тогда мне вспоминать
Заросший пруд и хриплый звон ольхи,
Что где-то у меня живут отец и мать,
Которым наплевать на все мои стихи,
Которым дорог я, как поле и как плоть,
Как дождик, что весной взрыхляет зеленя.
Они бы вилами пришли вас заколоть
За каждый крик ваш, брошенный в меня.

Бедные, бедные крестьяне!
Вы, наверно, стали некрасивыми,
Так же боитесь Бога и болотных недр.
О, если б вы понимали,
Что сын ваш в России

Самый лучший поэт!
Вы ль за жизнь его сердцем не индевели,
Когда босые ноги он в лужах осенних макал?
А теперь он ходит в цилиндре
И лакированных башмаках.

Но живет в нем задор прежней вправки
Деревенского озорника.
Каждой корове с вывески мясной лавки
Он кланяется издалека.
И, встречаясь с извозчиками на площади,
Вспоминая запах навоза с родных полей,
Он готов нести хвост каждой лошади,
Как венчального платья шлейф.

Я люблю родину.
Я очень люблю родину!
Хоть есть в ней грусти ивовая ржавь.
Приятны мне свиней испачканные морды
И в тишине ночной звенящий голос жаб.
Я нежно болен воспоминаньем детства,
Апрельских вечеров мне снится хмарь и сырь.
Как будто бы на корточки погреться
Присел наш клен перед костром зари.
О, сколько я на нем яиц из гнезд вороньих,
Карабкаясь по сучьям, воровал!
Все тот же ль он теперь, с верхушкою зеленой?
По-прежнему ль крепка его кора?

А ты, любимый,
Верный пегий пес?!
От старости ты стал визглив и слеп
И бродишь по двору, влача обвисший хвост,
Забыв чутьем, где двери и где хлев.
О, как мне дороги все те проказы,

Когда, у матери стянув краюху хлеба,
Кусали мы с тобой ее по разу,
Ни капельки друг другом не погребав.

Я все такой же.
Сердцем я все такой же.
Как васильки во ржи, цветут в лице глаза.
Стеля стихов злаченые рогожи,
Мне хочется вам нежное сказать.

Спокойной ночи!
Всем вам спокойной ночи!
Отзвенела по траве сумерек зари коса...
Мне сегодня хочется очень
Из окошка луну ....

Синий свет, свет такой синий!
В эту синь даже умереть не жаль.
Ну так что ж, что кажусь я циником,
Прицепившим к заднице фонарь!
Старый, добрый, заезженный Пегас,
Мне ль нужна твоя мягкая рысь?
Я пришел, как суровый мастер,
Воспеть и прославить крыс.
Башка моя, словно август,
Льется бурливых волос вином.

Я хочу быть желтым парусом
В ту страну, куда мы плывем.

1920

* * *

Сторона ль ты моя, сторона!
Дождевое, осеннее олово.
В черной луже продрогший фонарь
Отражает безгубую голову.

Нет, уж лучше мне не смотреть,
Чтобы вдруг не увидеть хужего.
Я на всю эту ржавую мреть
Буду щурить глаза и суживать.

Так немного теплей и безбольней,
Посмотри: меж скелетов домов,
Словно мельник, несет колокольня
Медные мешки колоколов.

Если голоден ты — будешь сытым.
Коль несчастен — то весел и рад.
Только лишь не гляди открыто,
Мой земной неизвестный брат.

Как подумал я — так и сделал,
Но увы! Все одно и то ж!
Видно, слишком привыкло тело
Ощущать эту стужу и дрожь.

Ну, да что же? Ведь много прочих,
Не один я в миру живой!
А фонарь то мигнет, то захохочет
Безгубой своей головой.

Только сердце под ветхой одеждой
Шепчет мне, посетившему твердь:
«Друг мой, друг мой, прозревшие вежды
Закрывает одна лишь смерть».

1921

* * *

Не жалею, не зову, не плачу,
Все пройдет, как с белых яблонь дым.
Увяданья золотом охваченный,
Я не буду больше молодым.

Ты теперь не так уж будешь биться,
Сердце, тронутое холодком,
И страна березового ситца
Не заманит шляться босиком.

Дух бродяжий! ты все реже, реже
Расшевеливаешь пламень уст.
О, моя утраченная свежесть,
Буйство глаз и половодье чувств.

Я теперь скупее стал в желаньях,
Жизнь моя? иль ты приснилась мне?
Словно я весенней гулкой ранью
Проскакал на розовом коне.

Все мы, все мы в этом мире тленны,
Тихо льется с кленов листьев медь...
Будь же ты вовек благословенно,
Что пришло процвесть и умереть.

1921

* * *

Все живое особой метой
Отмечается с ранних пор.
Если не был бы я поэтом,
То, наверно, был мошенник и вор.

Худощавый и низкорослый,
Средь мальчишек всегда герой,
Часто, часто с разбитым носом
Приходил я к себе домой.

И навстречу испуганной маме
Я цедил сквозь кровавый рот:
«Ничего! Я споткнулся о камень,
Это к завтраму все заживет».

И теперь вот, когда простыла
Этих дней кипятковая вязь,
Беспокойная, дерзкая сила
На поэмы мои пролилась.

Золотая словесная груда,
И над каждой строкой без конца
Отражается прежняя удаль
Забияки и сорванца.

Как тогда, я отважный и гордый,
Только новью мой брызжет шаг...
Если раньше мне били в морду,
То теперь вся в крови душа.

И уже говорю я не маме,
А в чужой и хохочущий сброд:
«Ничего! Я споткнулся о камень,
Это к завтраму все заживет!»

<1922>

* * *

Не ругайтесь. Такое дело!
Не торговец я на слова.
Запрокинулась и отяжелела
Золотая моя голова.

Нет любви ни к деревне, ни к городу,
Как же смог я ее донести?
Брошу все. Отпущу себе бороду
И бродягой пойду по Руси.

Позабуду поэмы и книги,
Перекину за плечи суму,
Оттого что в полях забулдыге
Ветер больше поет, чем кому.

Провоняю я редькой и луком
И, тревожа вечернюю гладь,
Буду громко сморкаться в руку
И во всем дурака валять.

И не нужно мне лучшей удачи,
Лишь забыться и слушать пургу,
Оттого что без этих чудачеств
Я прожить на земле не могу.

1922

***

Я обманывать себя не стану,
Залегла забота в сердце мглистом.
Отчего прослыл я шарлатаном?
Отчего прослыл я скандалистом?

Не злодей я и не грабил лесом,
Не расстреливал несчастных по темницам.
Я всего лишь уличный повеса,
Улыбающийся встречным лицам.

Я московский озорной гуляка.
По всему тверскому околотку
В переулках каждая собака
Знает мою легкую походку.

Каждая задрипанная лошадь
Головой кивает мне навстречу.
Для зверей приятель я хороший,
Каждый стих мой душу зверя лечит.

Я хожу в цилиндре не для женщин —
В глупой страсти сердце жить не в силе, —
В нем удобней, грусть свою уменьшив,
Золото овса давать кобыле.

Средь людей я дружбы не имею,
Я иному покорился царству.
Каждому здесь кобелю на шею
Я готов отдать мой лучший галстук.

И теперь уж я болеть не стану.
Прояснилась омуть в сердце мглистом.
Оттого прослыл я шарлатаном,
Оттого прослыл я скандалистом.

1922

* * *

Да! Теперь решено. Без возврата
Я покинул родные поля.
Уж не будут листвою крылатой
Надо мною звенеть тополя.

Низкий дом без меня ссутулится,
Старый пес мой давно издох.
На московских изогнутых улицах
Умереть, знать, судил мне Бог.

Я люблю этот город вязевый,
Пусть обрюзг он и пусть одрях.
Золотая дремотная Азия
Опочила на куполах.

А когда ночью светит месяц,
Когда светит... черт знает как!
Я иду, головою свесясь,
Переулком в знакомый кабак.

Шум и гам в этом логове жутком,
Но всю ночь напролет, до зари,
Я читаю стихи проституткам
И с бандитами жарю спирт.

Сердце бьется все чаще и чаще,
И уж я говорю невпопад:
«Я такой же, как вы, пропащий,
Мне теперь не уйти назад».

Низкий дом без меня ссутулится,
Старый пес мой давно издох.
На московских изогнутых улицах
Умереть, знать, судил мне Бог.

1922

* * *

Я усталым таким еще не был.
В эту серую морозь и слизь
Мне приснилось рязанское небо
И моя непутевая жизнь.

Много женщин меня любило,
Да и сам я любил не одну,
Не от этого ль темная сила
Приучила меня к вину.

Бесконечные пьяные ночи
И в разгуле тоска не впервь!
Не с того ли глаза мне точит,
Словно синие листья червь?

Не больна мне ничья измена,
И не радует легкость побед, —
Тех волос золотое сено
Превращается в серый цвет.

Превращается в пепел и воды,
Когда цедит осенняя муть.
Мне не жаль вас, прошедшие годы, —
Ничего не хочу вернуть.

Я устал себя мучить бесцельно,
И с улыбкою странной лица
Полюбил я носить в легком теле
Тихий свет и покой мертвеца...

И теперь даже стало не тяжко
Ковылять из притона в притон,
Как в смирительную рубашку,
Мы природу берем в бетон.

И во мне, вот по тем же законам,
Умиряется бешеный пыл.
Но и все ж отношусь я с поклоном
К тем полям, что когда-то любил.

В те края, где я рос под кленом,
Где резвился на желтой траве, —
Шлю привет воробьям, и воронам,
И рыдающей в ночь сове.

Я кричу им в весенние дали:
«Птицы милые, в синюю дрожь
Передайте, что я отскандалил, —
Пусть хоть ветер теперь начинает
Под микитки дубасить рожь».

<1923>

* * *

Мне осталась одна забава:
Пальцы в рот — и веселый свист.
Прокатилась дурная слава,
Что похабник я и скандалист.

Ах! какая смешная потеря!
Много в жизни смешных потерь.
Стыдно мне, что я в Бога верил.
Горько мне, что не верю теперь.

Золотые далекие дали!
Все сжигает житейская мреть.
И похабничал я и скандалил
Для того, чтобы ярче гореть.

Дар поэта — ласкать и карябать,
Роковая на нем печать,
Розу белую с черною жабой
Я хотел на земле повенчать.

Пусть не сладились, пусть не сбылись
Эти помыслы розовых дней.
Но коль черти в душе гнездились —
Значит, ангелы жили в ней.

Вот за это веселие мути,
Отправляясь с ней в край иной,
Я хочу при последней минуте
Попросить тех, кто будет со мной, —

Чтоб за все за грехи мои тяжкие,
За неверие в благодать
Положили меня в русской рубашке
Под иконами умирать.

<1923>

* * *

Заметался пожар голубой,
Позабылись родимые дали.
В первый раз я запел про любовь,
В первый раз отрекаюсь скандалить.

Был я весь — как запущенный сад,
Был на женщин и зелие падкий.
Разонравилось пить и плясать
И терять свою жизнь без оглядки.

Мне бы только смотреть на тебя,
Видеть глаз злато-карий омут,
И чтоб, прошлое не любя,
Ты уйти не смогла к другому.

Поступь нежная, легкий стан,
Если б знала ты сердцем упорным,
Как умеет любить хулиган,
Как умеет он быть покорным.

Я б навеки забыл кабаки
И стихи бы писать забросил,
Только б тонко касаться руки
И волос твоих цветом в осень.

Я б навеки пошел за тобой
Хоть в свои, хоть в чужие дали...
В первый раз я запел про любовь,
В первый раз отрекаюсь скандалить.

1923

* * *

Пускай ты выпита другим,
Но мне осталось, мне осталось
Твоих волос стеклянный дым
И глаз осенняя усталость.

О, возраст осени! Он мне
Дороже юности и лета.
Ты стала нравиться вдвойне
Воображению поэта.

Я сердцем никогда не лгу,
И потому на голос чванства
Бестрепетно сказать могу,
Что я прощаюсь с хулиганством.

Пора расстаться с озорной
И непокорною отвагой.
Уж сердце напилось иной,
Кровь отрезвляющею брагой.

И мне в окошко постучал
Сентябрь багряной веткой ивы,
Чтоб я готов был и встречал
Его приход неприхотливый.

Теперь со многим я мирюсь
Без принужденья, без утраты.
Иною кажется мне Русь,
Иными — кладбища и хаты.

Прозрачно я смотрю вокруг
И вижу, там ли, здесь ли, где-то ль,
Что ты одна, сестра и друг,
Могла быть спутницей поэта.

Что я одной тебе бы мог,
Воспитываясь в постоянстве,
Пропеть о сумерках дорог
И уходящем хулиганстве.

1923

* * *

Дорогая, сядем рядом,
Поглядим в глаза друг другу.
Я хочу под кротким взглядом
Слушать чувственную вьюгу.

Это золото осеннее,
Эта прядь волос белесых —
Все явилось, как спасенье
Беспокойного повесы.

Я давно мой край оставил,
Где цветут луга и чащи.
В городской и горькой славе
Я хотел прожить пропащим.

Я хотел, чтоб сердце глуше
Вспоминало сад и лето,
Где под музыку лягушек
Я растил себя поэтом.

Там теперь такая ж осень...
Клен и липы в окна комнат,
Ветки лапами забросив,
Ищут тех, которых помнят.

Их давно уж нет на свете.
Месяц на простом погосте
На крестах лучами метит,
Что и мы придем к ним в гости.

Что и мы, отжив тревоги,
Перейдем под эти кущи.
Все волнистые дороги
Только радость льют живущим.

Дорогая, сядь же рядом,
Поглядим в глаза друг другу.
Я хочу под кротким взглядом
Слушать чувственную вьюгу.

1923

Мне грустно на тебя смотреть,
Какая боль, какая жалость!
Знать, только ивовая медь
Нам в сентябре с тобой осталась.

Чужие губы разнесли
Твое тепло и трепет тела.
Как будто дождик моросит
С души, немного омертвелой.

Ну что ж! Я не боюсь его.
Иная радость мне открылась.
Ведь не осталось ничего,
Как только желтый тлен и сырость.

Ведь и себя я не сберег
Для тихой жизни, для улыбок.
Так мало пройдено дорог,
Так много сделано ошибок.

Смешная жизнь, смешной разлад.
Так было и так будет после.
Как кладбище, усеян сад
В берез изглоданные кости.

Вот так же отцветем и мы
И отшумим, как гости сада...
Коль нет цветов среди зимы,
Так и грустить о них не надо.

1923

ПИСЬМО МАТЕРИ

Ты жива еще, моя старушка?
Жив и я. Привет тебе, привет!
Пусть струится над твоей избушкой
Тот вечерний несказанный свет.

Пишут мне, что ты, тая тревогу,
Загрустила шибко обо мне,
Что ты часто ходишь на дорогу
В старомодном ветхом шушуне.

И тебе в вечернем синем мраке
Часто видится одно и то ж:
Будто кто-то мне в кабацкой драке
Саданул под сердце финский нож.

Ничего, родная! Успокойся.
Это только тягостная бредь.
Не такой уж горький я пропойца,
Чтоб, тебя не видя, умереть.

Я по-прежнему такой же нежный
И мечтаю только лишь о том,
Чтоб скорее от тоски мятежной
Воротиться в низенький наш дом.

Я вернусь, когда раскинет ветви
По-весеннему наш белый сад.
Только ты меня уж на рассвете
Не буди, как восемь лет назад.

Не буди того, что отмечталось,
Не волнуй того, что не сбылось, —
Слишком раннюю утрату и усталость
Испытать мне в жизни привелось.

И молиться не учи меня. Не надо!
К старому возврата больше нет.
Ты одна мне помощь и отрада,
Ты одна мне несказанный свет.

Так забудь же про свою тревогу,
Не грусти так шибко обо мне.
Не ходи так часто на дорогу
В старомодном ветхом шушуне.

<1924>

* * *

Мы теперь уходим понемногу
В ту страну, где тишь и благодать.
Может быть, и скоро мне в дорогу
Бренные пожитки собирать.

Милые березовые чащи!
Ты, земля! И вы, равнин пески!
Перед этим сонмом уходящих
Я не в силах скрыть моей тоски.

Слишком я любил на этом свете
Все, что душу облекает в плоть.
Мир осинам, что, раскинув ветви,
Загляделись в розовую водь.

Много дум я в тишине продумал,
Много песен про себя сложил,
И на этой на земле угрюмой
Счастлив тем, что я дышал и жил.

Счастлив тем, что целовал я женщин,
Мял цветы, валялся на траве
И зверье, как братьев наших меньших,
Никогда не бил по голове.

Знаю я, что не цветут там чащи,
Не звенит лебяжьей шеей рожь.
Оттого пред сонмом уходящих
Я всегда испытываю дрожь.

Знаю я, что в той стране не будет
Этих нив, златящихся во мгле.
Оттого и дороги мне люди,
Что живут со мною на земле.

1924

ПУШКИНУ

Мечтая о могучем даре
Того, кто русской стал судьбой,
Стою я на Тверском бульваре,
Стою и говорю с собой.

Блондинистый, почти белесый,
В легендах ставший как туман,
О Александр! Ты был повеса,
Как я сегодня хулиган.

Но эти милые забавы
Не затемнили образ твой,
И в бронзе выкованной славы
Трясешь ты гордой головой.

А я стою, как пред причастьем,
И говорю в ответ тебе:
Я умер бы сейчас от счастья,
Сподобленный такой судьбе.

Но, обреченный на гоненье,
Еще я долго буду петь...
Чтоб и мое степное пенье
Сумело бронзой прозвенеть.

<1924>

ВОЗВРАЩЕНИЕ НА РОДИНУ

Я посетил родимые места,
Ту сельщину,
Где жил мальчишкой,
Где каланчой с березовою вышкой
Взметнулась колокольня без креста.

Как много изменилось там,
В их бедном, неприглядном быте.
Какое множество открытий
За мною следовало по пятам.

Отцовский дом
Не мог я распознать:
Приметный клен уж под окном не машет,
И на крылечке не сидит уж мать,
Кормя цыплят крупитчатою кашей.

Стара, должно быть, стала...
Да, стара.
Я с грустью озираюсь на окрестность:
Какая незнакомая мне местность!
Одна, как прежняя, белеется гора,
Да у горы
Высокий серый камень.

Здесь кладбище!
Подгнившие кресты,
Как будто в рукопашной мертвецы
Застыли с распростертыми руками.

По тропке, опершись на подожок,
Идет старик, сметая пыль с бурьяна.
«Прохожий!
Укажи, дружок,
Где тут живет Есенина Татьяна?»

«Татьяна... Гм...
Да вон за той избой.
А ты ей что?
Сродни?
Аль, может, сын пропащий?» «Да, сын.
Но что, старик, с тобой?
Скажи мне,
Отчего ты так глядишь скорбяще?»

«Добро, мой внук,
Добро, что не узнал ты деда!..»
«Ах, дедушка, ужели это ты?»
И полилась печальная беседа
Слезами теплыми на пыльные цветы.
. . . .

«Тебе, пожалуй, скоро будет тридцать...
А мне уж девяносто...
Скоро в гроб.
Давно пора бы было воротиться».
Он говорит, а сам все морщит лоб.
«Да!.. Время!..
Ты не коммунист?»
«Нет!..»
«А сестры стали комсомолки.
Такая гадость! Просто удавись!
Вчера иконы выбросили с полки,
На церкви комиссар снял крест.
Теперь и Богу негде помолиться.

Уж я хожу украдкой нынче в лес,
Молюсь осинам...
Может, пригодится...

Пойдем домой —
Ты все увидишь сам».

И мы идем, топча межой кукольни.
Я улыбаюсь пашням и лесам,
А дед с тоской глядит на колокольню.
. . . .
. . . .
«Здорово, мать! Здорово!» —
И я опять тяну к глазам платок.
Тут разрыдаться может и корова,
Глядя на этот бедный уголок.

На стенке календарный Ленин.
Здесь жизнь сестер,
Сестер, а не моя, —
Но все ж готов упасть я на колени,
Увидев вас, любимые края.

Пришли соседи...
Женщина с ребенком.
Уже никто меня не узнает.
По-байроновски наша собачонка
Меня встречала с лаем у ворот.

Ах, милый край!
Не тот ты стал,
Не тот.
Да уж и я, конечно, стал не прежний.
Чем мать и дед грустней и безнадежней,
Тем веселей сестры смеется рот.

Конечно, мне и Ленин не икона,
Я знаю мир...
Люблю мою семью...
Но отчего-то все-таки с поклоном
Сажусь на деревянную скамью.

«Ну, говори, сестра!» И вот сестра разводит,
Раскрыв, как Библию, пузатый «Капитал»,
О Марксе,
Энгельсе...
Ни при какой погоде
Я этих книг, конечно, не читал.

И мне смешно,
Как шустрая девчонка
Меня во всем за шиворот берет...
....
....
По-байроновски наша собачонка
Меня встречала с лаем у ворот.

1924

РУСЬ СОВЕТСКАЯ

А. Сахарову

Тот ураган прошел. Нас мало уцелело.
На перекличке дружбы многих нет.
Я вновь вернулся в край осиротелый,
В котором не был восемь лет.

Кого позвать мне? С кем мне поделиться
Той грустной радостью, что я остался жив?
Здесь даже мельница — бревенчатая птица
С крылом единственным — стоит, глаза смежив.

Я никому здесь не знаком,
А те, что помнили, давно забыли.
И там, где был когда-то отчий дом,
Теперь лежит зола да слой дорожной пыли.

А жизнь кипит.
Вокруг меня снуют
И старые и молодые лица.
Но некому мне шляпой поклониться,
Ни в чьих глазах не нахожу приют.

И в голове моей проходят роем думы:
Что родина?
Ужели это сны?
Ведь я почти для всех здесь пилигрим угрюмый
Бог весть с какой далекой стороны.

И это я!
Я, гражданин села,

Которое лишь тем и будет знаменито,
Что здесь когда-то баба родила
Российского скандального пиита.

Но голос мысли сердцу говорит:
«Опомнись! Чем же ты обижен?
Ведь это только новый свет горит
Другого поколения у хижин.

Уже ты стал немного отцветать,
Другие юноши поют другие песни.
Они, пожалуй, будут интересней —
Уж не село, а вся земля им мать».

Ах, родина! Какой я стал смешной.
На щеки впалые летит сухой румянец.
Язык сограждан стал мне как чужой,
В своей стране я словно иностранец.

Вот вижу я:
Воскресные сельчане
У волости, как в церковь, собрались.
Корявыми, немытыми речами
Они свою обсуживают «жись».

Уж вечер. Жидкой позолотой
Закат обрызгал серые поля.
И ноги босые, как телки под ворота,
Уткнули по канавам тополя.

Хромой красноармеец с ликом сонным,
В воспоминаниях морщиня лоб,
Рассказывает важно о Буденном,
О том, как красные отбили Перекоп.

«Уж мы его — и этак и раз-этак, —
Буржуя энтого... которого... в Крыму...»

И клены морщатся ушами длинных веток,
И бабы охают в немую полутьму.

С горы идет крестьянский комсомол,
И под гармонику, наяривая рьяно,
Поют агитки Бедного Демьяна,
Веселым криком оглашая дол.

Вот так страна!
Какого ж я рожна
Орал в стихах, что я с народом дружен?
Моя поэзия здесь больше не нужна,
Да и, пожалуй, сам я тоже здесь не нужен.

Ну что ж!
Прости, родной приют.
Чем сослужил тебе — и тем уж я доволен.
Пускай меня сегодня не поют —
Я пел тогда, когда был край мой болен.

Приемлю все.
Как есть все принимаю.
Готов идти по выбитым следам.
Отдам всю душу октябрю и маю,
Но только лиры милой не отдам.

Я не отдам ее в чужие руки,
Ни матери, ни другу, ни жене.
Лишь только мне она свои вверяла звуки
И песни нежные лишь только пела мне.

Цветите, юные! И здоровейте телом!
У вас иная жизнь, у вас другой напев.
А я пойду один к неведомым пределам,
Душой бунтующей навеки присмирев.

Но и тогда,
Когда во всей планете
Пройдет вражда племен,
Исчезнет ложь и грусть, —
Я буду воспевать
Всем существом в поэте
Шестую часть земли
С названьем кратким «Русь».

1924

СУКИН СЫН

Снова выплыли годы из мрака
И шумят, как ромашковый луг.
Мне припомнилась нынче собака,
Что была моей юности друг.

Нынче юность моя отшумела,
Как подгнивший под окнами клен,
Но припомнил я девушку в белом,
Для которой был пес почтальон.

Не у всякого есть свой близкий,
Но она мне как песня была,
Потому что мои записки
Из ошейника пса не брала.

Никогда она их не читала,
И мой почерк ей был незнаком,
Но о чем-то подолгу мечтала
У калины за желтым прудом.

Я страдал... Я хотел ответа...
Не дождался... уехал... И вот
Через годы... известным поэтом
Снова здесь, у родимых ворот.

Та собака давно околела,
Но в ту ж масть, что с отливом в синь,
С лаем ливисто ошалелым
Меня встрел молодой ее сын.

Мать честная! И как же схожи!
Снова выплыла боль души.
С этой болью я будто моложе,
И хоть снова записки пиши.

Рад послушать я песню былую,
Но не лай ты! Не лай! Не лай!
Хочешь, пес, я тебя поцелую
За пробуженный в сердце май?

Поцелую, прижмусь к тебе телом
И, как друга, введу тебя в дом...
Да, мне нравилась девушка в белом,
Но теперь я люблю в голубом.

<1924>

* * *

Отговорила роща золотая
Березовым, веселым языком,
И журавли, печально пролетая,
Уж не жалеют больше ни о ком.

Кого жалеть? Ведь каждый в мире странник —
Пройдет, зайдет и вновь оставит дом.
О всех ушедших грезит конопляник
С широким месяцем над голубым прудом.

Стою один среди равнины голой,
А журавлей относит ветер вдаль,
Я полон дум о юности веселой,
Но ничего в прошедшем мне не жаль.

Не жаль мне лет, растраченных напрасно,
Не жаль души сиреневую цветь.
В саду горит костер рябины красной,
Но никого не может он согреть.

Не обгорят рябиновые кисти,
От желтизны не пропадет трава,
Как дерево роняет тихо листья,
Так я роняю грустные слова.

И если время, ветром разметая,
Сгребет их все в один ненужный ком...
Скажите так... что роща золотая
Отговорила милым языком.

<1924>

СТАНСЫ

Посвящается П. Чагину

Я о своем таланте
Много знаю.
Стихи — не очень трудные дела.
Но более всего
Любовь к родному краю
Меня томила,
Мучила и жгла.

Стишок писнуть,
Пожалуй, всякий может —
О девушке, о звездах, о луне...
Но мне другое чувство
Сердце гложет,
Другие думы
Давят череп мне.

Хочу я быть певцом
И гражданином,
Чтоб каждому,
Как гордость и пример,
Был настоящим,
А не сводным сыном —
В великих штатах СССР.

Я из Москвы надолго убежал:
С милицией я ладить
Не в сноровке,
За всякий мой пивной скандал

Они меня держали
В тигулевке.
Благодарю за дружбу граждан сих,
Но очень жестко
Спать там на скамейке
И пьяным голосом
Читать какой-то стих
О клеточной судьбе
Несчастной канарейки.

Я вам не кенар!
Я поэт!
И не чета каким-то там Демьянам.
Пускай бываю иногда я пьяным,
Зато в глазах моих
Прозрений дивных свет.

Я вижу все
И ясно понимаю,
Что эра новая —
Не фунт изюму вам,
Что имя Ленина
Шумит, как ветр, по краю,
Давая мыслям ход,
Как мельничным крылам.

Вертитесь, милые!
Для вас обещан прок.
Я вам племянник,
Вы же мне все дяди.
Давай, Сергей,
За Маркса тихо сядем,
Понюхаем премудрость
Скучных строк.

Дни, как ручьи, бегут
В туманную реку.

Мелькают города,
Как буквы по бумаге.
Недавно был в Москве,
А нынче вот в Баку.
В стихию промыслов
Нас посвящает Чагин.

«Смотри, — он говорит, —
Не лучше ли церквей
Вот эти вышки
Черных нефть-фонтанов.
Довольно с нас мистических туманов,
Воспой, поэт,
Что крепче и живей».

Нефть на воде,
Как одеяло перса,
И вечер по небу
Рассыпал звездный куль.
Но я готов поклясться
Чистым сердцем,
Что фонари
Прекрасней звезд в Баку.

Я полон дум об индустрийной мощи,
Я слышу голос человечьих сил.
Довольно с нас
Небесных всех светил —
Нам на земле
Устроить это проще.

И, самого себя
По шее гладя,
Я говорю:
«Настал наш срок,

Давай, Сергей,
За Маркса тихо сядем,
Чтоб разгадать
Премудрость скучных строк».

1924

РУСЬ УХОДЯЩАЯ

Мы многое еще не сознаем,
Питомцы ленинской победы,
И песни новые
По-старому поем,
Как нас учили бабушки и деды.

Друзья! Друзья!
Какой раскол в стране,
Какая грусть в кипении веселом!
Знать, оттого так хочется и мне,
Задрав штаны,
Бежать за комсомолом.

Я уходящих в грусти не виню,
Ну где же старикам
За юношами гнаться?
Они несжатой рожью на корню
Остались догнивать и осыпаться.

И я, я сам,
Не молодой, не старый,
Для времени навозом обречен.
Не потому ль кабацкий звон гитары
Мне навевает сладкий сон?

Гитара милая,
Звени, звени!
Сыграй, цыганка, что-нибудь такое,
Чтоб я забыл отравленные дни,
Не знавшие ни ласки, ни покоя.

Советскую я власть виню,
И потому я на нее в обиде,
Что юность светлую мою
В борьбе других я не увидел.

Что видел я?
Я видел только бой
Да вместо песен
Слышал канонаду.
Не потому ли с желтой головой
Я по планете бегал до упаду?

Но все ж я счастлив.
В сонме бурь
Неповторимые я вынес впечатленья.
Вихрь нарядил мою судьбу
В золототканое цветенье.

Я человек не новый!
Что скрывать?
Остался в прошлом я одной ногою,
Стремясь догнать стальную рать,
Скольжу и падаю другою.

Но есть иные люди.
Те
Еще несчастней и забытей.
Они как отрубь в решете
Средь непонятных им событий.

Я знаю их
И подсмотрел:
Глаза печальнее коровьих.
Средь человечьих мирных дел,
Как пруд, заплесневела кровь их.

Кто бросит камень в этот пруд?
Не троньте!
Будет запах смрада.
Они в самих себе умрут,
Истлеют падью листопада.

А есть другие люди,
Те, что верят,
Что тянут в будущее робкий взгляд.
Почесывая зад и перед,
Они о новой жизни говорят.

Я слушаю. Я в памяти смотрю,
О чем крестьянская судачит оголь.
«С Советской властью жить нам по нутрю...
Теперь бы ситцу... Да гвоздей немного...»

Как мало надо этим брадачам,
Чья жизнь в сплошном
Картофеле и хлебе.
Чего же я ругаюсь по ночам
На неудачный, горький жребий?

Я тем завидую,
Кто жизнь провел в бою,
Кто защищал великую идею.
А я, сгубивший молодость свою,
Воспоминаний даже не имею.

Какой скандал!
Какой большой скандал!
Я очутился в узком промежутке.
Ведь я мог дать
Не то, что дал,
Что мне давалось ради шутки.

Гитара милая,
Звени, звени!
Сыграй, цыганка, что-нибудь такое,
Чтоб я забыл отравленные дни,
Не знавшие ни ласки, ни покоя.

Я знаю, грусть не утопить в вине,
Не вылечить души
Пустыней и отколом.
Знать, оттого так хочется и мне,
Задрав штаны,
Бежать за комсомолом.

1924

ПИСЬМО К ЖЕНЩИНЕ

Вы помните,
Вы всё, конечно, помните,
Как я стоял,
Приблизившись к стене,
Взволнованно ходили вы по комнате
И что-то резкое
В лицо бросали мне.

Вы говорили:
Нам пора расстаться,
Что вас измучила
Моя шальная жизнь,
Что вам пора за дело приниматься,
А мой удел —
Катиться дальше, вниз.

Любимая!
Меня вы не любили.
Не знали вы, что в сонмище людском
Я был, как лошадь, загнанная в мыле,
Пришпоренная смелым ездоком.

Не знали вы,
Что я в сплошном дыму,
В развороченном бурей быте
С того и мучаюсь, что не пойму —
Куда несет нас рок событий.

Лицом к лицу
Лица не увидать.

Большое видится на расстоянье.
Когда кипит морская гладь,
Корабль в плачевном состоянье.

Земля — корабль!
Но кто-то вдруг
За новой жизнью, новой славой
В прямую гущу бурь и вьюг
Ее направил величаво.

Ну кто ж из нас на палубе большой
Не падал, не блевал и не ругался?
Их мало, с опытной душой,
Кто крепким в качке оставался.

Тогда и я
Под дикий шум,
Но зрело знающий работу,
Спустился в корабельный трюм,
Чтоб не смотреть людскую рвоту.

Тот трюм был —
Русским кабаком.
И я склонился над стаканом,
Чтоб, не страдая ни о ком,
Себя сгубить
В угаре пьяном.

Любимая!
Я мучил вас,
У вас была тоска
В глазах усталых:
Что я пред вами напоказ
Себя растрачивал в скандалах.

Но вы не знали,
Что в сплошном дыму,

В развороченном бурей быте
С того и мучаюсь,
Что не пойму,
Куда несет нас рок событий...
....
Теперь года прошли.
Я в возрасте ином.
И чувствую и мыслю по-иному.
И говорю за праздничным вином:
Хвала и слава рулевому!

Сегодня я
В ударе нежных чувств.
Я вспомнил вашу грустную усталость.
И вот теперь
Я сообщить вам мчусь,
Каков я был
И что со мною сталось!

Любимая!
Сказать приятно мне:
Я избежал паденья с кручи.
Теперь в Советской стороне
Я самый яростный попутчик.

Я стал не тем,
Кем был тогда.
Не мучил бы я вас,
Как это было раньше.
За знамя вольности
И светлого труда
Готов идти хоть до Ламанша.

Простите мне...
Я знаю: вы не та —

Живете вы
С серьезным, умным мужем;
Что не нужна вам наша маета,
И сам я вам
Ни капельки не нужен.

Живите так,
Как вас ведет звезда,
Под кущей обновленной сени.
С приветствием,
Вас помнящий всегда
Знакомый ваш
                    Сергей Есенин.

1924

ПИСЬМО ОТ МАТЕРИ

Чего же мне
Еще теперь придумать,
О чем теперь
Еще мне написать?
Передо мной
На столике угрюмом
Лежит письмо,
Что мне прислала мать.

Она мне пишет:
«Если можешь ты,
То приезжай, голубчик,
К нам на святки.
Купи мне шаль,
Отцу купи порты,
У нас в дому
Большие недостатки.

Мне страх не нравится,
Что ты поэт,
Что ты сдружился
С славою плохою.
Гораздо лучше б
С малых лет
Ходил ты в поле за сохою.

Стара я стала
И совсем плоха,
Но если б дома
Был ты изначала,
То у меня

Была б теперь сноха
И на ноге
Внучонка я качала.

Но ты детей
По свету растерял,
Свою жену
Легко отдал другому,
И без семьи, без дружбы,
Без причал
Ты с головой
Ушел в кабацкий омут.

Любимый сын мой,
Что с тобой?
Ты был так кроток,
Был так смиренен.
И говорили все наперебой:
Какой счастливый
Александр Есенин!

В тебе надежды наши
Не сбылись,
И на душе
С того больней и горше,
Что у отца
Была напрасной мысль,
Чтоб за стихи
Ты денег брал побольше.

Хоть сколько б ты
Ни брал,
Ты не пошлешь их в дом,
И потому так горько
Речи льются,
Что знаю я
На опыте твоем:
Поэтам деньги не даются.

Мне страх не нравится,
Что ты поэт,
Что ты сдружился
С славою плохою.
Гораздо лучше б
С малых лет
Ходил ты в поле за сохою.

Теперь сплошная грусть,
Живем мы, как во тьме.
У нас нет лошади.
Но если б был ты в доме,
То было б все,
И при твоем уме —
Пост председателя
В волисполкоме.

Тогда б жилось смелей,
Никто б нас не тянул,
И ты б не знал
Ненужную усталость,
Я б заставляла
Прясть
Твою жену,
А ты, как сын,
Покоил нашу старость».
. . . .
Я комкаю письмо,
Я погружаюсь в жуть.
Ужель нет выхода
В моем пути заветном?
Но все, что думаю,
Я после расскажу.
Я расскажу
В письме ответном...

1924

ОТВЕТ

Старушка милая,
Живи, как ты живешь.
Я нежно чувствую
Твою любовь и память.
Но только ты
Ни капли не поймешь —
Чем я живу
И чем я в мире занят.

Теперь у вас зима.
И лунными ночами,
Я знаю, ты
Помыслишь не одна,
Как будто кто
Черемуху качает
И осыпает
Снегом у окна.

Родимая!
Ну как заснуть в метель?
В трубе так жалобно
И так протяжно стонет.
Захочешь лечь,
Но видишь не постель,
А узкий гроб
И — что тебя хоронят.

Как будто тысяча
Гнусавейших дьячков,

Поет она плакидой —
Сволочь вьюга!
И снег ложится
Вроде пятачков,
И нет за гробом
Ни жены, ни друга!

Я более всего
Весну люблю.
Люблю разлив
Стремительным потоком,
Где каждой щепке,
Словно кораблю,
Такой простор,
Что не окинешь оком.

Но ту весну,
Которую люблю,
Я революцией великой
Называю!
И лишь о ней
Страдаю и скорблю,
Ее одну
Я жду и призываю!

Но эта пакость —
Хладная планета!
Ее и Солнцем-Лениным
Пока не растопить!
Вот потому
С большой душой поэта
Пошел скандалить я,
Озорничать и пить.

Но время будет,
Милая, родная!

Она придет, желанная пора!
Недаром мы
Присели у орудий:
Тот сел у пушки,
Этот — у пера.

Забудь про деньги ты,
Забудь про все.
Какая гибель?!
Ты ли это, ты ли?
Ведь не корова я,
Не лошадь, не осел,
Чтобы меня
Из стойла выводили!

Я выйду сам,
Когда настанет срок,
Когда пальнуть
Придется по планете,
И, воротясь,
Тебе куплю платок,
Ну, а отцу
Куплю я штуки эти.

Пока ж — идет метель,
И тысячей дьячков
Поет она плакидой —
Сволочь вьюга.
И снег ложится
Вроде пятачков,
И нет за гробом
Ни жены, ни друга.

1924

МЕТЕЛЬ

Прядите, дни, свою былую пряжу,
Живой души не перестроить ввек.
Нет!
Никогда с собой я не полажу,
Себе, любимому,
Чужой я человек.

Хочу читать, а книга выпадает,
Долит зевота,
Так и клонит в сон...
А за окном
Протяжный ветр рыдает,
Как будто чуя
Близость похорон.

Облезлый клен
Своей верхушкой черной
Гнусавит хрипло
В небо о былом.
Какой он клен?
Он просто столб позорный —
На нем бы вешать
Иль отдать на слом.

И первого
Меня повесить нужно,
Скрестив мне руки за спиной:
За то, что песней
Хриплой и недужной

Мешал я спать
Стране родной.

Я не люблю
Распевы петуха
И говорю,
Что если был бы в силе,
То всем бы петухам
Я выдрал потроха, Чтобы они
Ночьми не голосили.

Но я забыл,
Что сам я петухом
Орал вовсю
Перед рассветом края,
Отцовские заветы попирая,
Волнуясь сердцем
И стихом.

Визжит метель,
Как будто бы кабан,
Которого зарезать собрались.
Холодный,
Ледяной туман,
Не разберешь,
Где даль,
Где близь...

Луну, наверное,
Собаки съели —
Ее давно
На небе не видать.
Выдергивая нитку из кудели,
С веретеном
Ведет беседу мать.

Оглохший кот
Внимает той беседе,
С лежанки свесив
Важную главу.
Недаром говорят
Пугливые соседи,
Что он похож
На черную сову.

Глаза смежаются,
И как я их прищурю,
То вижу въявь
Из сказочной поры:
Кот лапой мне
Показывает дулю,
А мать — как ведьма
С киевской горы.

Не знаю, болен я
Или не болен,
Но только мысли
Бродят невпопад.
В ушах могильный
Стук лопат
С рыданьем дальних
Колоколен.

Себя усопшего
В гробу я вижу
Под аллилуйные
Стенания дьячка.
Я веки мертвому себе
Спускаю ниже,
Кладя на них
Два медных пятачка.

На эти деньги,
С мертвых глаз,
Могильщику теплее станет, —
Меня зарыв,
Он тот же час
Себя сивухой остаканит.

И скажет громко:
«Вот чудак!
Он в жизни
Буйствовал немало...
Но одолеть не мог никак
Пяти страниц
Из «Капитала».

<1924>

Персидские мотивы

* * *

Улеглась моя былая рана —
Пьяный бред не гложет сердце мне.
Синими цветами Тегерана
Я лечу их нынче в чайхане.

Сам чайханщик с круглыми плечами,
Чтобы славилась пред русским чайхана,
Угощает меня красным чаем
Вместо крепкой водки и вина.

Угощай, хозяин, да не очень.
Много роз цветет в твоем саду.
Незадаром мне мигнули очи,
Приоткинув черную чадру.

Мы в России девушек весенних
На цепи не держим, как собак,
Поцелуям учимся без денег,
Без кинжальных хитростей и драк.

Ну, а этой за движенья стана,
Что лицом похожа на зарю,
Подарю я шаль из Хороссана
И ковер ширазский подарю.

Наливай, хозяин, крепче чаю,
Я тебе вовеки не солгу.
За себя я нынче отвечаю,
За тебя ответить не могу.

И на дверь ты взглядывай не очень,
Все равно калитка есть в саду...
Незадаром мне мигнули очи,
Приоткинув черную чадру.

1924

* * *

Я спросил сегодня у менялы,
Что дает за полтумана по рублю,
Как сказать мне для прекрасной Лалы
По-персидски нежное «люблю»?

Я спросил сегодня у менялы
Легче ветра, тише Ванских струй,
Как назвать мне для прекрасной Лалы
Слово ласковое «поцелуй»?

И еще спросил я у менялы,
В сердце робость глубже притая,
Как сказать мне для прекрасной Лалы,
Как сказать ей, что она «моя»?

И ответил мне меняла кратко:
О любви в словах не говорят,
О любви вздыхают лишь украдкой,
Да глаза, как яхонты, горят.

Поцелуй названья не имеет,
Поцелуй не надпись на гробах.
Красной розой поцелуи веют,
Лепестками тая на губах.

От любви не требуют поруки,
С нею знают радость и беду.
«Ты — моя» сказать лишь могут руки,
Что срывали черную чадру.

1924

* * *

Шаганэ ты моя, Шаганэ!
Потому, что я с севера, что ли,
Я готов рассказать тебе поле,
Про волнистую рожь при луне.
Шаганэ ты моя, Шаганэ.

Потому, что я с севера, что ли,
Что луна там огромней в сто раз,
Как бы ни был красив Шираз,
Он не лучше рязанских раздолий.
Потому, что я с севера, что ли.

Я готов рассказать тебе поле,
Эти волосы взял я у ржи,
Если хочешь, на палец вяжи —
Я нисколько не чувствую боли.
Я готов рассказать тебе поле.

Про волнистую рожь при луне
По кудрям ты моим догадайся.
Дорогая, шути, улыбайся,
Не буди только память во мне
Про волнистую рожь при луне.

Шаганэ ты моя, Шаганэ!
Там, на севере, девушка тоже,

На тебя она страшно похожа,
Может, думает обо мне...
Шаганэ ты моя, Шаганэ.

1924

* * *

Ты сказала, что Саади
Целовал лишь только в грудь.
Подожди ты, Бога ради,
Обучусь когда-нибудь!

Ты пропела: «За Ефратом
Розы лучше смертных дев»,
Если был бы я богатым,
То другой сложил напев.

Я б порезал розы эти,
Ведь одна отрада мне —
Чтобы не было на свете
Лучше милой Шаганэ.

И не мучь меня заветом,
У меня заветов нет.
Коль родился я поэтом,
То целуюсь, как поэт.

19 декабря 1924

* * *

Никогда я не был на Босфоре,
Ты меня не спрашивай о нем.
Я в твоих глазах увидел море,
Полыхающее голубым огнем.

Не ходил в Багдад я с караваном,
Не возил я шелк туда и хну.
Наклонись своим красивым станом,
На коленях дай мне отдохнуть.

Или снова, сколько ни проси я,
Для тебя навеки дела нет,
Что в далеком имени — Россия —
Я известный, признанный поэт.

У меня в душе звенит тальянка,
При луне собачий слышу лай.
Разве ты не хочешь, персиянка,
Увидать далекий синий край?

Я сюда приехал не от скуки —
Ты меня, незримая, звала.
И меня твои лебяжьи руки
Обвивали, словно два крыла.

Я давно ищу в судьбе покоя,
И хоть прошлой жизни не кляну,
Расскажи мне что-нибудь такое
Про твою веселую страну.

Заглуши в душе тоску тальянки,
Напои дыханьем свежих чар,
Чтобы я о дальней северянке
Не вздыхал, не думал, не скучал.

И хотя я не был на Босфоре —
Я тебе придумаю о нем.
Все равно — глаза твои, как море,
Голубым колышутся огнем.

1924

* * *

Свет вечерний шафранного края,
Тихо розы бегут по полям.
Спой мне песню, моя дорогая,
Ту, которую пел Хаям.
Тихо розы бегут по полям.

Лунным светом Шираз осиянен,
Кружит звезд мотыльковый рой.
Мне не нравится, что персияне
Держат женщин и дев под чадрой.
Лунным светом Шираз осиянен.

Иль они от тепла застыли,
Закрывая телесную медь?
Или, чтобы их больше любили,
Не желают лицом загореть,
Закрывая телесную медь?

Дорогая, с чадрой не дружись,
Заучи эту заповедь вкратце,
Ведь и так коротка наша жизнь,
Мало счастьем дано любоваться.
Заучи эту заповедь вкратце.

Даже все некрасивое в роке
Осеняет своя благодать.
Потому и прекрасные щеки
Перед миром грешно закрывать,
Коль дала их природа-мать.

Тихо розы бегут по полям.
Сердцу снится страна другая.

Я спою тебе сам, дорогая,
То, что сроду не пел Хаям...
Тихо розы бегут по полям.

1924

* * *

Воздух прозрачный и синий,
Выйду в цветочные чащи.
Путник, в лазурь уходящий,
Ты не дойдешь до пустыни.
Воздух прозрачный и синий.

Лугом пройдешь, как садом,
Садом — в цветенье диком,
Ты не удержишься взглядом,
Чтоб не припасть к гвоздикам.
Лугом пройдешь, как садом.

Шепот ли, шорох иль шелест —
Нежность, как песни Саади.
Вмиг отразится во взгляде
Месяца желтая прелесть,
Нежность, как песни Саади.

Голос раздастся пери,
Тихий, как флейта Гассана.
В крепких объятиях стана
Нет ни тревог, ни потери,
Только лишь флейта Гассана.

Вот он, удел желанный
Всех, кто в пути устали.

Ветер благоуханный
Пью я сухими устами,
Ветер благоуханный.

<1925>

* * *

Золото холодное луны,
Запах олеандра и левкоя.
Хорошо бродить среди покоя
Голубой и ласковой страны.

Далеко-далече там Багдад,
Где жила и пела Шахразада.
Но теперь ей ничего не надо.
Отзвенел давно звеневший сад.

Призраки далекие земли
Поросли кладбищенской травою.
Ты же, путник, мертвым не внемли,
Не склоняйся к плитам головою.

Оглянись, как хорошо кругом:
Губы к розам так и тянет, тянет.
Помирись лишь в сердце со врагом —
И тебя блаженством ошафранит.

Жить — так жить, любить — так уж влюбляться,
В лунном золоте целуйся и гуляй,
Если ж хочешь мертвым поклоняться,
То живых тем сном не отравляй.

Это пела даже Шахразада, —
Так вторично скажет листьев медь,
Тех, которым ничего не надо,
Только можно в мире пожалеть.

<1925>

* * *

В Хороссане есть такие двери,
Где обсыпан розами порог.
Там живет задумчивая пери.
В Хороссане есть такие двери,
Но открыть те двери я не мог.

У меня в руках довольно силы,
В волосах есть золото и медь.
Голос пери нежный и красивый.
У меня в руках довольно силы,
Но дверей не смог я отпереть.

Ни к чему в любви моей отвага.
И зачем? Кому мне песни петь? —
Если стала неревнивой Шага,
Коль дверей не смог я отпереть,
Ни к чему в любви моей отвага.

Мне пора обратно ехать в Русь.
Персия! Тебя ли покидаю?
Навсегда ль с тобою расстаюсь
Из любви к родимому мне краю?
Мне пора обратно ехать в Русь.

До свиданья, пери, до свиданья,
Пусть не смог я двери отпереть,

Ты дала красивое страданье,
Про тебя на родине мне петь.
До свиданья, пери, до свиданья.

<1925>

* * *

Голубая родина Фирдуси,
Ты не можешь, памятью простыв,
Позабыть о ласковом урусе
И глазах, задумчиво простых,
Голубая родина Фирдуси.

Хороша ты, Персия, я знаю,
Розы, как светильники, горят
И опять мне о далеком крае
Свежестью упругой говорят.
Хороша ты, Персия, я знаю.

Я сегодня пью в последний раз
Ароматы, что хмельны, как брага.
И твой голос, дорогая Шага,
В этот трудный расставанья час
Слушаю в последний раз.

Но тебя я разве позабуду?
И в моей скитальческой судьбе
Близкому и дальнему мне люду
Буду говорить я о тебе —
И тебя навеки не забуду.

Я твоих несчастий не боюсь,
Но на всякий случай твой угрюмый

Оставляю песенку про Русь:
Запевая, обо мне подумай,
И тебе я в песне отзовусь...

Март 1925

* * *

Быть поэтом — это значит то же,
Если правды жизни не нарушить,
Рубцевать себя по нежной коже,
Кровью чувств ласкать чужие души.

Быть поэтом — значит петь раздолье,
Чтобы было для тебя известней.
Соловей поет — ему не больно,
У него одна и та же песня.

Канарейка с голоса чужого —
Жалкая, смешная побрякушка.
Миру нужно песенное слово
Петь по-свойски, даже как лягушка.

Магомет перехитрил в Коране,
Запрещая крепкие напитки,
Потому поэт не перестанет
Пить вино, когда идет на пытки.

И когда поэт идет к любимой,
А любимая с другим лежит на ложе,
Влагою живительной хранимый,
Он ей в сердце не запустит ножик.

Но, горя ревнивою отвагой,
Будет вслух насвистывать до дома:

«Ну и что ж, помру себе бродягой,
На земле и это нам знакомо».

Август 1925

* * *

Руки милой — пара лебедей —
В золоте волос моих ныряют.
Все на этом свете из людей
Песнь любви поют и повторяют.

Пел и я когда-то далеко
И теперь пою про то же снова,
Потому и дышит глубоко
Нежностью пропитанное слово.

Если душу вылюбить до дна,
Сердце станет глыбой золотою,
Только тегеранская луна
Не согреет песни теплотою.

Я не знаю, как мне жизнь прожить:
Догореть ли в ласках милой Шаги
Иль под старость трепетно тужить
О прошедшей песенной отваге?

У всего своя походка есть:
Что приятно уху, что — для глаза.
Если перс слагает плохо песнь,
Значит, он вовек не из Шираза.

Про меня же и за эти песни
Говорите так среди людей:

Он бы пел нежнее и чудесней,
Да сгубила пара лебедей.

Август 1925

* * *

«Отчего луна так светит тускло
На сады и стены Хороссана?
Словно я хожу равниной русской
Под шуршащим пологом тумана», —

Так спросил я, дорогая Лала,
У молчащих ночью кипарисов,
Но их рать ни слова не сказала,
К небу гордо головы завысив.

«Отчего луна так светит грустно?» —
У цветов спросил я в тихой чаще,
И цветы сказали: «Ты почувствуй
По печали розы шелестящей».

Лепестками роза расплескалась,
Лепестками тайно мне сказала:
«Шаганэ твоя с другим ласкалась,
Шаганэ другого целовала.

Говорила: «Русский не заметит...
Сердцу — песнь, а песне — жизнь и тело...»
Оттого луна так тускло светит,
Оттого печально побледнела.

Слишком много виделось измены,
Слез и мук, кто ждал их, кто не хочет.
. . . .

Но и все ж вовек благословенны
На земле сиреневые ночи.

Август 1925

* * *

Глупое сердце, не бейся!
Все мы обмануты счастьем,
Нищий лишь просит участья...
Глупое сердце, не бейся.

Месяца желтые чары
Льют по каштанам в пролесь.
Лале склонясь на шальвары,
Я под чадрою укроюсь.
Глупое сердце, не бейся.

Все мы порою, как дети,
Часто смеемся и плачем:
Выпали нам на свете
Радости и неудачи.
Глупое сердце, не бейся.

Многие видел я страны,
Счастья искал повсюду,
Только удел желанный
Больше искать не буду.
Глупое сердце, не бейся.

Жизнь не совсем обманула.
Новой напьемся силой.
Сердце, ты хоть бы заснуло

Здесь, на коленях у милой.
Жизнь не совсем обманула.

Может, и нас отметит
Рок, что течет лавиной,
И на любовь ответит
Песнею соловьиной.
Глупое сердце, не бейся.

Август 1925

* * *

Голубая да веселая страна.
Честь моя за песню продана.
Ветер с моря, тише дуй и вей —
Слышишь, розу кличет соловей?

Слышишь, роза клонится и гнется —
Эта песня в сердце отзовется.
Ветер с моря, тише дуй и вей —
Слышишь, розу кличет соловей?

Ты — ребенок, в этом спора нет,
Да и я ведь разве не поэт?
Ветер с моря, тише дуй и вей —
Слышишь, розу кличет соловей?

Дорогая Гелия, прости.
Много роз бывает на пути,
Много роз склоняется и гнется,
Но одна лишь сердцем улыбнется.

Улыбнемся вместе — ты и я —
За такие милые края.

Ветер с моря, тише дуй и вей —
Слышишь, розу кличет соловей?

Голубая да веселая страна.
Пусть вся жизнь моя за песню продана,
Но за Гелию в тенях ветвей
Обнимает розу соловей.

1925

МОЙ ПУТЬ

Жизнь входит в берега.
Села давнишний житель,
Я вспоминаю то,
Что видел я в краю.
Стихи мои,
Спокойно расскажите
Про жизнь мою.

Изба крестьянская.
Хомутный запах дегтя,
Божница старая,
Лампады кроткий свет.
Как хорошо,
Что я сберег те
Все ощущенья детских лет.

Под окнами
Костер метели белой.
Мне девять лет.
Лежанка, бабка, кот...
И бабка что-то грустное,
Степное пела,
Порой зевая
И крестя свой рот.

Метель ревела.
Под оконцем
Как будто бы плясали мертвецы.
Тогда империя

Вела войну с японцем,
И всем далекие
Мерещились кресты.

Тогда не знал я
Черных дел России.
Не знал, зачем И почему война.
Рязанские поля,
Где мужики косили,
Где сеяли свой хлеб,
Была моя страна.

Я помню только то,
Что мужики роптали,
Бранились в черта,
В Бога и в царя.
Но им в ответ
Лишь улыбались дали
Да наша жидкая
Лимонная заря.

Тогда впервые
С рифмой я схлестнулся.
От сонма чувств
Вскружилась голова.
И я сказал:
Коль этот зуд проснулся,
Всю душу выплещу в слова.

Года далекие,
Теперь вы как в тумане,
И помню, дед мне
С грустью говорил:
«Пустое дело...
Ну, а если тянет —

Пиши про рожь,
Но больше про кобыл».

Тогда в мозгу,
Влеченьем к музе сжатом,
Текли мечтанья
В тайной тишине,
Что буду я
Известным и богатым
И будет памятник
Стоять в Рязани мне.

В пятнадцать лет
Взлюбил я до печенок
И сладко думал,
Лишь уединюсь,
Что я на этой
Лучшей из девчонок,
Достигнув возраста, женюсь.
. . . .

Года текли.
Года меняют лица —
Другой на них
Ложится свет.
Мечтатель сельский —
Я в столице
Стал первокласснейший поэт.

И, заболев
Писательскою скукой,
Пошел скитаться я
Средь разных стран,
Не веря встречам,
Не томясь разлукой,
Считая мир весь за обман.

Тогда я понял,
Что такое Русь.
Я понял, что такое слава.
И потому мне
В душу грусть
Вошла, как горькая отрава.

На кой мне черт,
Что я поэт!..
И без меня в достатке дряни.
Пускай я сдохну,
Только...
Нет,
Не ставьте памятник в Рязани!

Россия... Царщина...
Тоска...
И снисходительность дворянства,
Ну что ж!
Так принимай, Москва,
Отчаянное хулиганство.

Посмотрим —
Кто кого возьмет!
И вот в стихах моих
Забила
В салонный вылощенный
Сброд
Мочой рязанская кобыла.

Не нравится?
Да, вы правы —
Привычка к Лориган
И к розам...
Но этот хлеб,

Что жрете вы, —
Ведь мы его того-с...
Навозом...

Еще прошли года.
В годах такое было,
О чем в словах
Всего не рассказать:
На смену царщине
С величественной силой
Рабочая предстала рать.

Устав таскаться
По чужим пределам,
Вернулся я
В родимый дом.
Зеленокосая,
В юбчонке белой
Стоит береза над прудом.

Уж и береза!
Чудная... А груди...
Таких грудей
У женщин не найдешь.
С полей обрызганные солнцем
Люди
Везут навстречу мне
В телегах рожь.

Им не узнать меня,
Я им прохожий.
Но вот проходит
Баба, не взглянув.
Какой-то ток
Невыразимой дрожи
Я чувствую во всю спину.

Ужель она?
Ужели не узнала?
Ну и пускай,
Пускай себе пройдет...
И без меня ей
Горечи немало —
Недаром лег
Страдальчески так рот.

По вечерам,
Надвинув ниже кепи,
Чтобы не выдать
Холода очей, —
Хожу смотреть я
Скошенные степи
И слушать,
Как звенит ручей.

Ну что же?
Молодость прошла!
Пора приняться мне
За дело,
Чтоб озорливая душа
Уже по-зрелому запела.

И пусть иная жизнь села
Меня наполнит
Новой силой,
Как раньше
К славе привела
Родная русская кобыла.

<1925>

СОБАКЕ КАЧАЛОВА

Дай, Джим, на счастье лапу мне,
Такую лапу не видал я сроду.
Давай с тобой полаем при луне
На тихую, бесшумную погоду.
Дай, Джим, на счастье лапу мне.

Пожалуйста, голубчик, не лижись.
Пойми со мной хоть самое простое.
Ведь ты не знаешь, что такое жизнь,
Не знаешь ты, что жить на свете стоит.

Хозяин твой и мил и знаменит,
И у него гостей бывает в доме много,
И каждый, улыбаясь, норовит
Тебя по шерсти бархатной потрогать.

Ты по-собачьи дьявольски красив,
С такою милою доверчивой приятцей.
И, никого ни капли не спросив,
Как пьяный друг, ты лезешь целоваться.

Мой милый Джим, среди твоих гостей
Так много всяких и невсяких было.
Но та, что всех безмолвней и грустней,
Сюда случайно вдруг не заходила?

Она придет, даю тебе поруку.
И без меня, в ее уставясь взгляд,
Ты за меня лизни ей нежно руку
За все, в чем был и не был виноват.

1925

Несказанное, синее, нежное...
Тих мой край после бурь, после гроз,
И душа моя — поле безбрежное —
Дышит запахом меда и роз.

Я утих. Годы сделали дело,
Но того, что прошло, не кляну.
Словно тройка коней оголтелая
Прокатилась во всю страну.

Напылили кругом. Накопытили.
И пропали под дьявольский свист.
А теперь вот в лесной обители
Даже слышно, как падает лист.

Колокольчик ли? Дальнее эхо ли?
Все спокойно впивает грудь.
Стой, душа, мы с тобой проехали
Через бурный положенный путь.

Разберемся во всем, что видели,
Что случилось, что сталось в стране,
И простим, где нас горько обидели
По чужой и по нашей вине.

Принимаю, что было и не было,
Только жаль на тридцатом году —
Слишком мало я в юности требовал,
Забываясь в кабацком чаду.

Но ведь дуб молодой, не разжелудясь,
Так же гнется, как в поле трава...
Эх ты, молодость, буйная молодость,
Золотая сорвиголова!

1925

* * *

Ну, целуй меня, целуй,
Хоть до крови, хоть до боли.
Не в ладу с холодной волей
Кипяток сердечных струй.

Опрокинутая кружка
Средь веселых не для нас.
Понимай, моя подружка,
На земле живут лишь раз!

Оглядись спокойным взором,
Посмотри: во мгле сырой
Месяц, словно желтый ворон,
Кружит, вьется над землей.

Ну, целуй же! Так хочу я.
Песню тлен пропел и мне.
Видно, смерть мою почуял
Тот, кто вьется в вышине.

Увядающая сила!
Умирать — так умирать!
До кончины губы милой
Я хотел бы целовать.

Чтоб все время в синих дремах,
Не стыдясь и не тая,
В нежном шелесте черемух
Раздавалось: «Я твоя».

И чтоб свет над полной кружкой
Легкой пеной не погас —
Пей и пой, моя подружка:
На земле живут лишь раз!

1925

ПИСЬМО К СЕСТРЕ

О Дельвиге писал наш Александр,
О черепе выласкивал он
Строки.
Такой прекрасный и такой далекий,
Но все же близкий,
Как цветущий сад!

Привет, сестра!
Привет, привет!
Крестьянин я иль не крестьянин?!
Ну как теперь ухаживает дед
За вишнями у нас, в Рязани?

Ах, эти вишни!
Ты их не забыла?
И сколько было у отца хлопот,
Чтоб наша тощая И рыжая кобыла
Выдергивала плугом корнеплод.

Отцу картофель нужен.
Нам был нужен сад.
И сад губили,
Да, губили, душка!
Об этом знает мокрая подушка
Немножко... Семь...
Иль восемь лет назад.

Я помню праздник,
Звонкий праздник мая.

Цвела черемуха,
Цвела сирень.
И, каждую березку обнимая,
Я был пьяней,
Чем синий день.

Березки!
Девушки-березки!
Их не любить лишь может тот,
Кто даже в ласковом подростке
Предугадать не может плод.

Сестра! Сестра!
Друзей так в жизни мало!
Как и на всех,
На мне лежит печать...
Коль сердце нежное твое
Устало,
Заставь его забыть и замолчать.

Ты Сашу знаешь.
Саша был хороший.
И Лермонтов
Был Саше по плечу.
Но болен я...
Сиреневой порошей
Теперь лишь только
Душу излечу.

Мне жаль тебя.
Останешься одна,
А я готов дойти
Хоть до дуэли.
«Блажен, кто не допил до дна»[1]
И не дослушал глас свирели.

---

[1] Слова Пушкина. *(Прим. С. Есенина.)*

Но сад наш!..
Сад...
Ведь и по нем весной
Пройдут твои
Заласканные дети.
О!
Пусть они
Помянут невпопад,
Что жили...

Чудаки на свете.

<1925>

* * *

Синий май. Заревая теплынь.
Не прозвякнет кольцо у калитки.
Липким запахом веет полынь.
Спит черемуха в белой накидке.

В деревянные крылья окна
Вместе с рамами в тонкие шторы
Вяжет взбалмошная луна
На полу кружевные узоры.

Наша горница хоть и мала,
Но чиста. Я с собой на досуге...
В этот вечер вся жизнь мне мила,
Как приятная память о друге.

Сад полышет, как пенный пожар,
И луна, напрягая все силы,
Хочет так, чтобы каждый дрожал
От щемящего слова «милый».

Только я в эту цветь, в эту гладь,
Под тальянку веселого мая,
Ничего не могу пожелать,
Все, как есть, без конца принимая.

Принимаю — приди и явись,
Все явись, в чем есть боль и отрада...
Мир тебе, отшумевшая жизнь.
Мир тебе, голубая прохлада.

<1925>

* * *

Неуютная жидкая лунность
И тоска бесконечных равнин, —
Вот что видел я в резвую юность,
Что, любя, проклинал не один.

По дорогам усохшие вербы
И тележная песня колес...
Ни за что не хотел я теперь бы,
Чтоб мне слушать ее привелось.

Равнодушен я стал к лачугам,
И очажный огонь мне не мил,
Даже яблонь весеннюю вьюгу
Я за бедность полей разлюбил.

Мне теперь по душе иное...
И в чахоточном свете луны
Через каменное и стальное
Вижу мощь я родной стороны.

Полевая Россия! Довольно
Волочиться сохой по полям!
Нищету твою видеть больно
И березам и тополям.

Я не знаю, что будет со мною...
Может, в новую жизнь не гожусь,
Но и все же хочу я стальною
Видеть бедную, нищую Русь.

И, внимая моторному лаю
В сонме вьюг, в сонме бурь и гроз,
Ни за что я теперь не желаю
Слушать песню тележных колес.

<1925>

* * *

Каждый труд благослови, удача!
Рыбаку — чтоб с рыбой невода,
Пахарю — чтоб плуг его и кляча
Доставали хлеба на года.

Воду пьют из кружек и стаканов,
Из кувшинок также можно пить —
Там, где омут розовых туманов
Не устанет берег золотить.

Хорошо лежать в траве зеленой
И, впиваясь в призрачную гладь,
Чей-то взгляд, ревнивый и влюбленный,
На себе, уставшем, вспоминать.

Коростели свищут... коростели...
Потому так и светлы всегда
Те, что в жизни сердцем опростели
Под веселой ношею труда.

Только я забыл, что я крестьянин,
И теперь рассказываю сам,
Соглядатай праздный, я ль не странен
Дорогим мне пашням и лесам.

Словно жаль кому-то и кого-то,
Словно кто-то к родине отвык,
И с того, поднявшись над болотом,
В душу плачут чибис и кулик.

Июль 1925

164

* * *

Видно, так заведено навеки —
К тридцати годам перебесясь,
Все сильней, прожженные калеки,
С жизнью мы удерживаем связь.

Милая, мне скоро стукнет тридцать,
И земля милей мне с каждым днем.
Оттого и сердцу стало сниться,
Что горю я розовым огнем.

Коль гореть, так уж гореть сгорая,
И недаром в липовую цвель
Вынул я кольцо у попугая —
Знак того, что вместе нам сгореть.

То кольцо надела мне цыганка,
Сняв с руки, я дал его тебе,
И теперь, когда грустит шарманка,
Не могу не думать, не робеть.

В голове болотный бродит омут,
И на сердце изморозь и мгла:
Может быть, кому-нибудь другому
Ты его со смехом отдала?

Может быть, целуясь до рассвета,
Он тебя расспрашивает сам,
Как смешного, глупого поэта
Привела ты к чувственным стихам.

165

Ну, и что ж! Пройдет и эта рана.
Только горько видеть жизни край.
В первый раз такого хулигана
Обманул проклятый попугай.

Июль 1925

* * *

Я иду долиной. На затылке кепи,
В лайковой перчатке смуглая рука.
Далеко сияют розовые степи,
Широко синеет тихая река.

Я — беспечный парень. Ничего не надо.
Только б слушать песни — сердцем подпевать,
Только бы струилась легкая прохлада,
Только б не сгибалась молодая стать.

Выйду за дорогу, выйду под откосы, —
Сколько там нарядных мужиков и баб!
Что-то шепчут грабли, что-то свищут косы.
«Эй, поэт, послушай, слаб ты иль не слаб?

На земле милее. Полно плавать в небо.
Как ты любишь долы, так бы труд любил.
Ты ли деревенским, ты ль крестьянским не был?
Размахнись косою, покажи свой пыл».

Ах, перо не грабли, ах, коса не ручка —
Но косой выводят строчки хоть куда.
Под весенним солнцем, под весенней тучкой
Их читают люди всякие года.

К черту я снимаю свой костюм английский.
Что же, дайте косу, я вам покажу —
Я ли вам не свойский, я ли вам не близкий,
Памятью деревни я ль не дорожу?

Нипочем мне ямы, нипочем мне кочки.
Хорошо косою в утренний туман
Выводить по долам травяные строчки,
Чтобы их читали лошадь и баран.

В этих строчках — песня, в этих строчках — слово.
Потому и рад я в думах ни о ком,
Что читать их может каждая корова,
Отдавая плату теплым молоком.

<1925>

* * *

Жизнь — обман с чарующей тоскою,
Оттого так и сильна она,
Что своею грубою рукою
Роковые пишет письмена.

Я всегда, когда глаза закрою,
Говорю: «Лишь сердце потревожь,
Жизнь — обман, но и она порою
Украшает радостями ложь.

Обратись лицом к седому небу,
По луне гадая о судьбе,
Успокойся, смертный, и не требуй
Правды той, что не нужна тебе».

Хорошо в черемуховой вьюге
Думать так, что эта жизнь — стезя.
Пусть обманут легкие подруги,
Пусть изменят легкие друзья.

Пусть меня ласкают нежным словом,
Пусть острее бритвы злой язык, —
Я живу давно на все готовым,
Ко всему безжалостно привык.

Холодят мне душу эти выси,
Нет тепла от звездного огня.
Те, кого любил я, отреклися,
Кем я жил — забыли про меня.

Но и все ж, теснимый и гонимый,
Я, смотря с улыбкой на зарю,
На земле, мне близкой и любимой,
Эту жизнь за все благодарю.

Август 1925

* * *

Над окошком месяц. Под окошком ветер.
Облетевший тополь серебрист и светел.

Дальний плач тальянки, голос одинокий —
И такой родимый, и такой далёкий.

Плачет и смеётся песня лиховая.
Где ты, моя липа? Липа вековая?

Я и сам когда-то в праздник спозаранку
Выходил к любимой, развернув тальянку.

А теперь я милой ничего не значу.
Под чужую песню и смеюсь и плачу.

Август 1925

* * *

Сестре Шуре

Я красивых таких не видел,
Только, знаешь, в душе затаю
Не в плохой, а в хорошей обиде —
Повторяешь ты юность мою.

Ты — мое васильковое слово,
Я навеки люблю тебя.
Как живет теперь наша корова,
Грусть соломенную теребя?

Запоешь ты, а мне любимо,
Исцеляй меня детским сном.
Отгорела ли наша рябина,
Осыпаясь под белым окном?

Что поет теперь мать за куделью?
Я навеки покинул село,
Только знаю — багряной метелью
Нам листвы на крыльцо намело.

Знаю то, что о нас с тобой вместе
Вместо ласки и вместо слез
У ворот, как о сгибшей невесте,
Тихо воет покинутый пес.

Но и все ж возвращаться не надо,
Потому и достался не в срок,
Как любовь, как печаль и отрада,
Твой красивый рязанский платок.

Сентябрь 1925

* * *

Сестре Шуре

Ах, как много на свете кошек,
Нам с тобой их не счесть никогда.
Сердцу снится душистый горошек,
И звенит голубая звезда.

Наяву ли, в бреду иль спросонок,
Только помню с далекого дня —
На лежанке мурлыкал котенок,
Безразлично смотря на меня.

Я еще тогда был ребенок,
Но под бабкину песню вскок
Он бросался, как юный тигренок,
На оброненный ею клубок.

Все прошло. Потерял я бабку,
А еще через несколько лет
Из кота того сделали шапку,
А ее износил наш дед.

Сентябрь 1925

* * *

Сестре Шуре

Ты запой мне ту песню, что прежде
Напевала нам старая мать.
Не жалея о сгибшей надежде,
Я сумею тебе подпевать.

Я ведь знаю, и мне знакомо,
Потому и волнуй и тревожь —
Будто я из родимого дома
Слышу в голосе нежную дрожь.

Ты мне пой, ну, а я с такою,
Вот с такою же песней, как ты,
Лишь немного глаза прикрою —
Вижу вновь дорогие черты.

Ты мне пой. Ведь моя отрада —
Что вовек я любил не один
И калитку осеннего сада,
И опавшие листья с рябин.

Ты мне пой, ну, а я припомню
И не буду забывчиво хмур:
Так приятно и так легко мне
Видеть мать и тоскующих кур.

Я навек за туманы и росы
Полюбил у березки стан,

И ее золотистые косы,
И холщовый ее сарафан.

Потому так и сердцу не жестко —
Мне за песнею и за вином
Показалась ты той березкой,
Что стоит под родимым окном.

Сентябрь 1925

Сестре Шуре

В этом мире я только прохожий,
Ты махни мне веселой рукой.
У осеннего месяца тоже
Свет ласкающий, тихий такой.

В первый раз я от месяца греюсь,
В первый раз от прохлады согрет,
И опять и живу и надеюсь
На любовь, которой уж нет.

Это сделала наша равнинность,
Посоленная белью песка,
И измятая чья-то невинность,
И кому-то родная тоска.

Потому и навеки не скрою,
Что любить не отдельно, не врозь —
Нам одною любовью с тобою
Эту родину привелось.

Сентябрь 1925

* * *

Слышишь — мчатся сани, слышишь — сани мчатся.
Хорошо с любимой в поле затеряться.

Ветерок веселый робок и застенчив,
По равнине голой катится бубенчик.

Эх вы, сани-сани! Конь ты мой буланый!
Где-то на поляне клен танцует пьяный.

Мы к нему подъедем, спросим — что такое?
И станцуем вместе под тальянку трое.

Октябрь 1925

* * *

Голубая кофта. Синие глаза.
Никакой я правды милой не сказал.

Милая спросила: «Крутит ли метель?
Затопить бы печку, постелить постель».

Я ответил милой: «Нынче с высоты
Кто-то осыпает белые цветы.

Затопи ты печку, постели постель,
У меня на сердце без тебя метель».

Октябрь 1925

* * *

Не криви улыбку, руки теребя,
Я люблю другую, только не тебя.

Ты сама ведь знаешь, знаешь хорошо —
Не тебя я вижу, не к тебе пришел.

Проходил я мимо, сердцу все равно —
Просто захотелось заглянуть в окно.

Октябрь 1925

* * *

Свищет ветер, серебряный ветер,
В шелковом шелесте снежного шума.
В первый раз я в себе заметил —
Так я еще никогда не думал.

Пусть на окошках гнилая сырость,
Я не жалею, и я не печален.
Мне все равно эта жизнь полюбилась,
Так полюбилась, как будто вначале.

Взглянет ли женщина с тихой улыбкой —
Я уж взволнован. Какие плечи!
Тройка ль проскачет дорогой зыбкой —
Я уже в ней и скачу далече.

О, мое счастье и все удачи!
Счастье людское землей любимо.
Тот, кто хоть раз на земле заплачет, —
Значит, удача промчалась мимо.

Жить нужно легче, жить нужно проще,
Все принимая, что есть на свете.
Вот почему, обалдев, над рощей
Свищет ветер, серебряный ветер.

1925

* * *

Цветы мне говорят — прощай,
Головками склоняясь ниже,
Что я навеки не увижу
Ее лицо и отчий край.

Любимая, ну, что ж! Ну, что ж!
Я видел их и видел землю,
И эту гробовую дрожь
Как ласку новую приемлю.

И потому, что я постиг
Всю жизнь, пройдя с улыбкой мимо, —
Я говорю на каждый миг,
Что все на свете повторимо.

Не все ль равно — придет другой,
Печаль ушедшего не сгложет,
Оставленной и дорогой
Пришедший лучше песню сложит.

И, песне внемля в тишине,
Любимая с другим любимым,
Быть может, вспомнит обо мне,
Как о цветке неповторимом.

Октябрь 1925

* * *

Клен ты мой опавший, клен заледенелый,
Что стоишь нагнувшись под метелью белой?

Или что увидел? Или что услышал?
Словно за деревню погулять ты вышел.

И, как пьяный сторож, выйдя на дорогу,
Утонул в сугробе, приморозил ногу.

Ах, и сам я нынче чтой-то стал нестойкий,
Не дойду до дома с дружеской попойки.

Там вон встретил вербу, там сосну приметил,
Распевал им песни под метель о лете.

Сам себе казался я таким же кленом,
Только не опавшим, а вовсю зеленым.

И, утратив скромность, одуревши в доску,
Как жену чужую, обнимал березку.

28 ноября 1925

* * *

Какая ночь! Я не могу.
Не спится мне. Такая лунность.
Еще как будто берегу
В душе утраченную юность.

Подруга охладевших лет,
Не называй игру любовью,
Пусть лучше этот лунный свет
Ко мне струится к изголовью.

Пусть искаженные черты
Он обрисовывает смело, —
Ведь разлюбить не сможешь ты,
Как полюбить ты не сумела.

Любить лишь можно только раз.
Вот оттого ты мне чужая,
Что липы тщетно манят нас,
В сугробы ноги погружая.

Ведь знаю я и знаешь ты,
Что в этот отсвет лунный, синий
На этих липах не цветы —
На этих липах снег да иней.

Что отлюбили мы давно,
Ты не меня, а я — другую,
И нам обоим все равно
Играть в любовь недорогую.

Но все ж ласкай и обнимай
В лукавой страсти поцелуя,
Пусть сердцу вечно снится май
И та, что навсегда люблю я.

30 ноября 1925

* * *

Не гляди на меня с упреком,
Я презренья к тебе не таю,
Но люблю я твой взор с поволокой
И лукавую кротость твою.

Да, ты кажешься мне распростертой,
И, пожалуй, увидеть я рад,
Как лиса, притворившись мертвой,
Ловит воронов и воронят.

Ну, и что же, лови, я не струшу.
Только как бы твой пыл не погас?
На мою охладевшую душу
Натыкались такие не раз.

Не тебя я люблю, дорогая,
Ты лишь отзвук, лишь только тень.
Мне в лице твоем снится другая,
У которой глаза — голубень.

Пусть она и не выглядит кроткой
И, пожалуй, на вид холодна,
Но она величавой походкой
Всколыхнула мне душу до дна.

Вот такую едва ль отуманишь,
И не хочешь пойти, да пойдешь,
Ну, а ты даже в сердце не вранишь
Напоенную ласкою ложь.

Но и все же, тебя презирая,
Я смущенно откроюсь навек:
Если б не было ада и рая,
Их бы выдумал сам человек.

1 декабря 1925

* * *

Ты меня не любишь, не жалеешь,
Разве я немного не красив?
Не смотря в лицо, от страсти млеешь,
Мне на плечи руки опустив.

Молодая, с чувственным оскалом,
Я с тобой не нежен и не груб.
Расскажи мне, скольких ты ласкала?
Сколько рук ты помнишь? Сколько губ?

Знаю я — они прошли, как тени,
Не коснувшись твоего огня,
Многим ты садилась на колени,
А теперь сидишь вот у меня.

Пусть твои полузакрыты очи
И ты думаешь о ком-нибудь другом,
Я ведь сам люблю тебя не очень,
Утопая в дальнем дорогом.

Этот пыл не называй судьбою,
Легкодумна вспыльчивая связь, —
Как случайно встретился с тобою,
Улыбнусь, спокойно разойдясь.

Да и ты пойдешь своей дорогой
Распылять безрадостные дни,
Только нецелованных не трогай,
Только негоревших не мани.

И когда с другим по переулку
Ты пройдешь, болтая про любовь,
Может быть, я выйду на прогулку,
И с тобою встретимся мы вновь.

Отвернув к другому ближе плечи
И немного наклонившись вниз,
Ты мне скажешь тихо: «Добрый вечер!»
Я отвечу: «Добрый вечер, miss».

И ничто души не потревожит,
И ничто ее не бросит в дрожь, —
Кто любил, уж тот любить не может,
Кто сгорел, того не подожжешь.

4 декабря 1925

* * *

Может, поздно, может, слишком рано,
И о чем не думал много лет,
Походить я стал на Дон-Жуана,
Как заправский ветреный поэт.

Что случилось? Что со мною сталось?
Каждый день я у других колен.
Каждый день к себе теряю жалость,
Не смиряясь с горечью измен.

Я всегда хотел, чтоб сердце меньше
Билось в чувствах нежных и простых,
Что ж ищу в очах я этих женщин —
Легкодумных, лживых и пустых?

Удержи меня, мое презренье,
Я всегда отмечен был тобой.
На душе холодное кипенье
И сирени шелест голубой.

На душе — лимонный свет заката,
И все то же слышно сквозь туман, —
За свободу в чувствах есть расплата,
Принимай же вызов, Дон-Жуан!

И, спокойно вызов принимая,
Вижу я, что мне одно и то ж —
Чтить метель за синий цветень мая,
Звать любовью чувственную дрожь.

Так случилось, так со мною сталось,
И с того у многих я колен,
Чтобы вечно счастье улыбалось,
Не смиряясь с горечью измен.

13 декабря 1925

* * *

Кто я? Что я? Только лишь мечтатель,
Синь очей утративший во мгле,
Эту жизнь прожил я словно кстати,
Заодно с другими на земле.

И с тобой целуюсь по привычке,
Потому что многих целовал,
И, как будто зажигая спички,
Говорю любовные слова.

«Дорогая», «милая», «навеки»,
А в душе всегда одно и то ж,
Если тронуть страсти в человеке,
То, конечно, правды не найдешь.

Оттого душе моей не жестко
Не желать, не требовать огня,
Ты, моя ходячая березка,
Создана для многих и меня.

Но, всегда ища себе родную
И томясь в неласковом плену,
Я тебя нисколько не ревную,
Я тебя нисколько не кляну.

Кто я? Что я? Только лишь мечтатель,
Синь очей утративший во мгле,
И тебя любил я только кстати,
Заодно с другими на земле.

<1925>

До свиданья, друг мой, до свиданья.
Милый мой, ты у меня в груди.
Предназначенное расставанье
Обещает встречу впереди.

До свиданья, друг мой, без руки и слова,
Не грусти и не печаль бровей, —
В этой жизни умирать не ново,
Но и жить, конечно, не новей.

1925

Поэмы

ПУГАЧЕВ

Анатолию Мариенгофу

1
ПОЯВЛЕНИЕ ПУГАЧЕВА
В ЯИЦКОМ ГОРОДКЕ

Пугачев

Ох, как устал и как болит нога!..
Ржет дорога в жуткое пространство.
Ты ли, ты ли, разбойный Чаган,
Приют дикарей и оборванцев?
Мне нравится степей твоих медь
И пропахшая солью почва.
Луна, как желтый медведь,
В мокрой траве ворочается.

Наконец-то я здесь, здесь!
Рать врагов цепью волн распалась,
Не удалось им на осиновый шест
Водрузить головы моей парус.

Яик, Яик, ты меня звал
Стоном придавленной черни!
Пучились в сердце жабьи глаза
Грустящей в закат деревни.
Только знаю я, что эти избы —
Деревянные колокола,

195

Голос их ветер хмарью съел.
О, помоги же, степная мгла,
Грозно свершить мой замысел!

Сторож

Кто ты, странник? Что бродишь долом?
Что тревожишь ты ночи гладь?
Отчего, словно яблоко тяжелое,
Виснет с шеи твоя голова?

Пугачев

В солончаковое ваше место
Я пришел из далеких стран, —
Посмотреть на золото телесное,
На родное золото славян.
Слушай, отче! Расскажи мне нежно,
Как живет здесь мудрый наш мужик?
Так же ль он в полях своих прилежно
Цедит молоко соломенное ржи?
Так же ль здесь, сломав зари застенок,
Гонится овес на водопой рысцой,
И на грядках, от капусты пенных,
Челноки ныряют огурцов?
Так же ль мирен труд домохозяек,
Слышен прялки ровный разговор?

Сторож

Нет, прохожий! С этой жизнью Яик
Раздружился с самых давних пор.

С первых дней, как оборвались вожжи,
С первых дней, как умер третий Петр,

Над капустой, над овсом, над рожью
Мы задаром проливаем пот.

Нашу рыбу, соль и рынок,
Чем сей край богат и рьян,
Отдала Екатерина
Под надзор своих дворян.

И теперь по всем окраинам
Стонет Русь от цепких лапищ.
Воском жалоб сердце Каина
К состраданью не окапишь.
Всех связали, всех вневолили,
С голоду хоть жри железо.
И течет заря над полем
С горла неба перерезанного.

Пугачев

Невеселое ваше житье!
Но скажи мне, скажи,
Неужель в народе нет суровой хватки
Вытащить из сапогов ножи
И всадить их в барские лопатки?

Сторож

Видел ли ты,
Как коса в лугу скачет,
Ртом железным перекусывая ноги трав?
Оттого что стоит трава на корячках,
Под себя коренья подобрав.
И никуда ей, траве, не скрыться
От горячих зубов косы,
Потому что не может она, как птица,
Оторваться от земли в синь.

Так и мы! Вросли ногами крови в избы,
Что нам первый ряд подкошенной травы?
Только лишь до нас не добрались бы,
Только нам бы,
Только б нашей
Не скосили, как ромашке, головы.
Но теперь как будто пробудились,
И березами заплаканный наш тракт
Окружает, как туман от сырости,
Имя мертвого Петра.

Пугачев

Как Петра? Что ты сказал, старик?
. . . .
Иль это взвыли в небе облака?

Сторож

Я говорю, что скоро грозный крик,
Который избы, словно жаб, влакал,
Сильней громов раскатится над нами.
Уже мятеж вздымает паруса.
Нам нужен тот, кто б первый бросил камень.

Пугачев

Какая мысль!

Сторож

О чем вздыхаешь ты?

Пугачев

Я положил себе зарок молчать до срока.
. . . .

Клещи рассвета в небесах
Из пасти темноты
Выдергивают звезды, словно зубы,
А мне еще нигде вздремнуть не удалось.

Сторож

Я мог бы предложить тебе
Тюфяк свой грубый,
Но у меня в дому всего одна кровать,
И четверо на ней спит ребятишек.

Пугачев

Благодарю! Я в этом граде гость.
Дадут приют мне под любою крышей.
Прощай, старик!

Сторож

Храни тебя Господь!
....
....
Русь, Русь! И сколько их таких,
Как в решето просеивающих плоть,
Из края в край в твоих просторах шляется?
Чей голос их зовет,
Вложив светильником им посох в пальцы?
Идут они, идут! Зеленый славя гул,
Купая тело в ветре и в пыли,
Как будто кто сослал их всех на каторгу
Вертеть ногами
Сей шар земли.

Но что я вижу?
Колокол луны скатился ниже,

Он, словно яблоко увянувшее, мал.
Благовест лучей его стал глух.

Уж на нашесте громко заиграл
В куриную гармонику петух.

2
БЕГСТВО КАЛМЫКОВ

Первый голос

Послушайте, послушайте, послушайте,
Вам не снился тележный свист?
Нынче ночью на заре жидкой
Тридцать тысяч калмыцких кибиток
От Самары проползло на Иргис.
От российской чиновничьей неволи,
Оттого что, как куропаток, их щипали
На наших лугах,
Потянулись они в свою Монголию
Стадом деревянных черепах.

Второй голос

Только мы, только мы лишь медлим,
Словно страшен нам захлестнувший нас шквал.
Оттого-то шлет нам каждую неделю
Приказы свои Москва.
Оттого-то, куда бы ни шел ты,
Видишь, как под усмирителей меч
Прыгают кошками желтыми
Казацкие головы с плеч.

Кирпичников

Внимание! Внимание! Внимание!
Не будьте ж трусливы, как овцы,
Сюда едут на страшное дело вас сманивать
Траубенберг и Тамбовцев.

Казаки

К черту! К черту предателей!
. . . .

Тамбовцев

Сми-ирно-о!
Сотники казачьих отрядов,
Готовьтесь в поход!
Нынче ночью, как дикие звери,
Калмыки всем скопом орд
Изменили Российской империи
И угнали с собой весь скот.
Потопленную лодку месяца
Чаган выплескивает на берег дня.
Кто любит свое отечество,
Тот должен слушать меня.
Нет, мы не можем, мы не можем, мы не можем
Допустить сей ущерб стране.
Россия лишилась мяса и кожи,
Россия лишилась лучших коней.
Так бросимтесь же в погоню
На эту монгольскую мразь,
Пока она всеми ладонями
Китаю не предалась.

Кирпичников

Стой, атаман, довольно
Об ветер язык чесать.

За Россию нам, конешно, больно,
Оттого что нам Россия — мать.
Но мы ничуть, мы ничуть не испугались,
Что кто-то покинул наши поля,
И калмык нам не желтый заяц,
В которого можно, как в пищу, стрелять.
Он ушел, этот смуглый монголец,
Дай же Бог ему добрый путь.
Хорошо, что от наших околиц
Он без боли сумел повернуть.

Траубенберг

Что это значит?

Кирпичников

Это значит то,
Что, если б
Наши избы были на колесах,
Мы впрягли бы в них своих коней
И гужом с солончаковых плесов
Потянулись в золото степей.
Наши б кони, длинно выгнув шеи,
Стадом черных лебедей
По водам ржи
Понесли нас, буйно хорошея,
В новый край, чтоб новой жизнью жить.

Казаки

Замучили! Загрызли, прохвосты!

Тамбовцев

Казаки! Вы целовали крест!
Вы клялись...

Кирпичников

Мы клялись, мы клялись Екатерине
Быть оплотом степных границ,
Защищать эти пастбища синие
От налета разбойных птиц.
Но скажите, скажите, скажите,
Разве эти птицы не вы?
Наших пашен суровых житель
Не найдет, где прикрыть головы.

Траубенберг

Это измена!..
Связать его! Связать!

Кирпичников

Казаки, час настал!
Приветствую тебя, мятеж свирепый!
Что не могли в словах сказать уста,
Пусть пулями расскажут пистолеты.

(Стреляет.)

Траубенберг падает мертвым. Конвойные разбегаются.
Казаки хватают лошадь Тамбовцева под уздцы
и стаскивают его на землю.

Голоса

Смерть! Смерть тирану!

Тамбовцев

О Господи! Ну что я сделал?

Первый голос

Мучил, злодей, три года,
Три года, как коршун белый,
Ни проезда не давал, ни прохода.

Второй голос

Откушай похлебки метелицы.
Отгулял, отстегал и отхвастал.

Третий голос

Черта ли с ним канителиться?

Четвертый голос

Повесить его — и баста!

Кирпичников

Пусть знает, пусть слышит Москва —
На расправы ее мы взбыстрим.
Это только лишь первый раскат,
Это только лишь первый выстрел.
Пусть помнит Екатерина,
Что если Россия — пруд,
То черными лягушками в тину
Пушки мечут стальную икру.
Пусть носится над страной,
Что казак не ветла на прогоне
И в луны мешок травяной
Он башку незадаром сронит.

ОСЕННЕЙ НОЧЬЮ

Караваев

Тысячу чертей, тысячу ведьм и тысячу дьяволов!
Экий дождь! Экий скверный дождь!
Скверный, скверный!
Словно вонючая моча волов
Льется с туч на поля и деревни.
Скверный дождь!
Экий скверный дождь!

Как скелеты тощих журавлей,
Стоят ощипанные вербы,
Плавя ребер медь.
Уж золотые яйца листьев на земле
Им деревянным брюхом не согреть,
Не вывести птенцов — зеленых вербенят,
По горлу их скользнул сентябрь, как нож,
И кости крыл ломает на щебняк
Осенний дождь.
Холодный, скверный дождь!

О осень, осень!
Голые кусты,
Как оборванцы, мокнут у дорог.
В такую непогодь собаки, сжав хвосты,
Боятся головы просунуть за порог,
А тут вот стой, хоть сгинь,
Но тьму глазами ешь,
Чтоб не пробрался вражеский лазутчик.
Проклятый дождь!

Расправу за мятеж
Напоминают мне рыгающие тучи.

Скорей бы, скорей в побег, в побег
От этих кровью выдоенных стран.
С объятьями нас принимает всех
С Екатериною воюющий султан.
Уже стекается придушенная чернь
С озиркой, словно полевые мыши.
О солнце-колокол, твое тили-ли-день,
Быть может, здесь мы больше не услышим!

Но что там? Кажется, шаги?
Шаги... Шаги...
Эй, кто идет? Кто там идет?

Пугачев

Свой... свой...

Караваев

Кто свой?

Пугачев

Я, Емельян.

Караваев

А, Емельян, Емельян, Емельян!
Что нового в этом мире, Емельян?
Как тебе нравится этот дождь?

Пугачев

Этот дождь на счастье Богом дан,
Нам на руку, чтоб он хлестал всю ночь.

Караваев

Да, да! Я тоже так думаю, Емельян.
Славный дождь! Замечательный дождь!

Пугачев

Нынче вечером, в темноте скрываясь,
Я правительственные посты осмотрел.
Все часовые попрятались, как зайцы,
Боясь замочить шинели.
Знаешь? Эта ночь, если только мы выступим,
Не кровью, а зарею окрасила б наши ножи,
Всех бы солдат без единого выстрела
В сонном Яике мы могли уложить...

Завтра ж к утру будет ясная погода,
Сивым табуном проскачет хмарь.
Слушай, ведь я из простого рода
И сердцем такой же степной дикарь!
Я умею, на сутки и версты не трогаясь,
Слушать бег ветра и твари шаг,
Оттого что в груди у меня, как в берлоге,
Ворочается зверенышем теплым душа.

Мне нравится запах травы, холодом подожженной,
И сентябрьского листолета протяжный свист.
Знаешь ли ты, что осенью медвежонок
Смотрит на луну,
Как на вьющийся в ветре лист?
По луне его учит мать
Мудрости своей звериной,
Чтобы смог он, дурашливый, знать
И призванье свое и имя.
. . . .
Я значенье мое разгадал...

Караваев

Тебе же недаром верят?

Пугачев

Долгие, долгие тяжкие года
Я учил в себе разуму зверя...
Знаешь? Люди ведь все со звериной душой, —
Тот медведь, тот лиса, та волчица,
А жизнь — это лес большой,
Где заря красным всадником мчится.
Нужно крепкие, крепкие иметь клыки.

Караваев

Да, да! Я тоже так думаю, Емельян...
И если б они у нас были,
То московские полки
Нас не бросали, как рыб, в Чаган.
Они б побоялись нас жать
И карать так легко и просто
За то, что в чаду мятежа
Убили мы двух прохвостов.

Пугачев

Бедные, бедные мятежники!
Вы цвели и шумели, как рожь.
Ваши головы колосьями нежными
Раскачивал июльский дождь.
Вы улыбались тварям...
. . . .
Послушай, да ведь это ж позор,
Чтоб мы этим поганым харям
Не смогли отомстить до сих пор?

Разве это когда прощается,
Чтоб с престола какая-то б...
Протягивала солдат, как пальцы,
Непокорную чернь умерщвлять!
Нет, не могу, не могу!
К черту султана с туретчиной,
Только на радость врагу
Этот побег опрометчивый.
Нужно остаться здесь!
Нужно остаться, остаться,
Чтобы вскипела месть
Золотою пургой акаций,
Чтоб пролились ножи
Железными струями люто!
Слушай! Бросай сторожить,
Беги и буди весь хутор.

4
ПРОИСШЕСТВИЕ НА ТАЛОВОМ УМЁТЕ

Оболяев

Что случилось? Что случилось? Что случилось?

Пугачев

Ничего страшного. Ничего страшного. Ничего
                                        страшного.
Там на улице жолклая сырость
Гонит туман, как стада барашковые.

Мокрою цаплей по лужам полей бороздя,
Ветер заставил все живое,
Как жаб по их гнездам, скрыться,

209

И только порою,
Привязанная к нитке дождя,
Черным крестом в воздухе
Проболтнется шальная птица.
Это осень, как старый оборванный монах,
Пророчит кому-то о погибели веще.
. . . .
Послушайте, для наших благ
Я придумал кой-что похлеще.

Караваев

Да, да! Мы придумали кой-что похлеще.

Пугачев

Знаете ли вы,
Что по черни ныряет весть,
Как по гребням волн лодка с парусом низким?
По-звериному любит мужик наш на корточки сесть
И сосать эту весть, как коровьи большие сиськи.

От песков Джигильды до Алатыря
Эта весть о том,
Что какой-то жестокий поводырь
Мертвую тень императора
Ведет на российскую ширь.

Эта тень с веревкой на шее безмясой,
Отвалившуюся челюсть теребя,
Скрипящими ногами приплясывая,
Идет отомстить за себя.
Идет отомстить Екатерине,
Подымая руку, как желтый кол,
За то, что она с сообщниками своими,

Разбив белый кувшин
Головы его,
Взошла на престол.

О б о л я е в

Это только веселая басня!
Ты, конечно, не за этим пришел,
Чтоб рассказать ее нам?

П у г а ч е в

Напрасно, напрасно, напрасно
Ты так думаешь, брат Степан.

К а р а в а е в

Да, да! По-моему, тоже напрасно.

П у г а ч е в

Разве важно, разве важно, разве важно,
Что мертвые не встают из могил?
Но зато кой-где почву безвлажную
Этот слух словно плугом взрыл.
Уже слышится благовест бунтов,
Рев крестьян оглашает зенит,
И кустов деревянный табун
Безлиственной ковкой звенит.
Что ей Петр? — Злой и дикой ораве? —
Только камень желанного случая,
Чтобы колья погромные правили
Над теми, кто грабил и мучил.
Каждый платит за лепту лептою,
Месть щенками кровавыми щенится.

Кто же скажет, что это свирепствуют
Бродяги и отщепенцы?
Это буйствуют россияне!
Я ж хочу научить их под хохот сабль
Обтянуть тот зловещий скелет парусами
И пустить его по безводным степям,
Как корабль.

А за ним
По курганам синим
Мы живых голов двинем бурливый флот.
. . . .
. . . .
Послушайте! Для всех отныне
Я — император Петр!

Казаки

Как император?

Оболяев

Он с ума сошел!

Пугачев

Ха-ха-ха!
Вас испугал могильщик,
Который, череп разложив как горшок,
Варит из медных монет щи,
Чтоб похлебать в черный срок.
Я стращать мертвецом вас не стану,
Но должны ж вы, должны понять,
Что этим кладбищенским планом
Мы подымем монгольскую рать!

Нам мало того простолюдства,
Которое в нашем краю,
Пусть калмык и башкирец бьются
За бараньи костры средь юрт!

Зарубин

Это верно, это верно, это верно!
Кой нам черт умышлять побег?
Лучше здесь всем им головы скверные
Обломать, как колеса с телег.
Будем крыть их ножами и матом,
Кто без сабли — так бей кирпичом!
Да здравствует наш император,
Емельян Иванович Пугачев!

Пугачев

Нет, нет, я для всех теперь
Не Емельян, а Петр...

Караваев

Да, да, не Емельян, а Петр...

Пугачев

Братья, братья, ведь каждый зверь
Любит шкуру свою и имя...
Тяжко, тяжко моей голове
Опушать себя чуждым инеем.
Трудно сердцу светильником мести
Освещать корявые чащи.
Знайте, в мертвое имя влезть —
То же, что в гроб смердящий.

Больно, больно мне быть Петром,
Когда кровь и душа Емельянова.
Человек в этом мире не бревенчатый дом,
Не всегда перестроишь наново...
Но... к черту все это, к черту!
Прочь жалость телячьих нег!

Нынче ночью в половине четвертого
Мы устроить должны набег.

5
УРАЛЬСКИЙ КАТОРЖНИК

Хлопуша

Сумасшедшая, бешеная кровавая муть!
Что ты? Смерть? Иль исцеленье калекам?
Проведите, проведите меня к нему,
Я хочу видеть этого человека.
Я три дня и три ночи искал ваш умёт,
Тучи с севера сыпались каменной грудой.
Слава ему! Пусть он даже не Петр!
Чернь его любит за буйство и удаль.
Я три дня и три ночи блуждал по тропам,
В солонце рыл глазами удачу,
Ветер волосы мои, как солому, трепал
И цепами дождя обмолачивал.
Но озлобленное сердце никогда не заблудится,
Эту голову с шеи сшибить нелегко.
Оренбургская заря красношерстной верблюдицей
Рассветное роняла мне в рот молоко.
И холодное корявое вымя сквозь тьму
Прижимал я, как хлеб, к истощенным векам.
Проведите, проведите меня к нему,
Я хочу видеть этого человека.

Зарубин

Кто ты? Кто? Мы не знаем тебя!
Что тебе нужно в нашем лагере?
Отчего глаза твои,
Как два цепных кобеля,
Беспокойно ворочаются в соленой влаге?
Что пришел ты ему сообщить?
Злое ль, доброе ль светится из пасти вспурга?
Прорубились ли в Азию бунтовщики?
Иль, как зайцы, бегут от Оренбурга?

Хлопуша

Где он? Где? Неужель его нет?
Тяжелее, чем камни, я нес мою душу.
Ах, давно, знать, забыли в этой стране
Про отчаянного негодяя и жулика Хлопушу.
Смейся, человек!
В ваш хмурый стан
Посылаются замечательные разведчики.
Был я каторжник и арестант,
Был убийца и фальшивомонетчик.

Но всегда ведь, всегда ведь, рано ли, поздно ли,
Расставляет расплата капканы терний.
Заковали в колодки и вырвали ноздри
Сыну крестьянина Тверской губернии.
Десять лет —
Понимаешь ли ты, десять лет? —
То острожничал я, то бродяжил.
Это теплое мясо носил скелет
На общипку, как пух лебяжий.

Черта ль с того, что хотелось мне жить?
Что жестокостью сердце устало хмуриться?

Ах, дорогой мой,
Для помещика мужик —
Все равно что овца, что курица.
Ежедневно молясь на зари желтый гроб,
Кандалы я сосал голубыми руками...
Вдруг... три ночи назад... губернатор Рейнсдорп,
Как сорвавшийся лист,
Взлетел ко мне в камеру...
«Слушай, каторжник!
(Так он сказал.)
Лишь тебе одному поверю я.
Там в ковыльных просторах ревет гроза,
От которой дрожит вся империя,
Там какой-то пройдоха, мошенник и вор
Вздумал вздыбить Россию ордой грабителей,
И дворянские головы сечет топор —
Как березовые купола
В лесной обители.
Ты, конечно, сумеешь всадить в него нож?
(Так он сказал, так он сказал мне.)
Вот за эту услугу ты свободу найдешь
И в карманах зазвякает серебро, а не камни».

Уж три ночи, три ночи, пробиваясь сквозь тьму,
Я ищу его лагерь, и спросить мне некого.
Проведите ж, проведите меня к нему,
Я хочу видеть этого человека!

Зарубин

Странный гость.

Подуров

Подозрительный гость.

Зарубин

Как мы можем тебе довериться?

Подуров

Их немало, немало, за червонцев горсть
Готовых пронзить его сердце.

Хлопуша

Ха-ха-ха!
Это очень неглупо.
Вы надежный и крепкий щит.
Только весь я до самого пупа —
Местью вскормленный бунтовщик.
Каплет гноем смола прогорклая
Из разодранных ребер изб.
Завтра ж ночью я выбегу волком
Человеческое мясо грызть.
Все равно ведь, все равно ведь, все равно ведь,
Не сожрешь — так сожрут тебя ж.
Нужно вечно держать наготове
Эти руки для драки и краж.
Верьте мне!
Я пришел к вам как друг.
Сердце радо в пурге расколоться
Оттого, что без Хлопуши
Вам не взять Оренбург
Даже с сотней лихих полководцев.

Зарубин

Так открой нам, открой, открой
Тот план, что в тебе хоронится.

Подуров

Мы сейчас же, сейчас же пошлем тебя в бой
Командиром над нашей конницей.

Хлопуша

Нет!
Хлопуша не станет биться.
У Хлопуши другая мысль.
Он хотел бы, чтоб гневные лица
Вместе с злобой умом налились.
Вы бесстрашны, как хищные звери,
Грозен лязг ваших битв и побед,
Но ведь все ж у вас нет артиллерии?
Но ведь все ж у вас пороху нет?

Ах, в башке моей, словно в бочке,
Мозг, как спирт, хлебной едкостью лют.
Знаю я, за Сакмарой рабочие
Для помещиков пушки льют.
Там найдется и порох, и ядра,
И наводчиков зоркая рать,
Только надо сейчас же, не откладывая,
Всех крестьян в том краю взбунтовать.
Стыдно медлить здесь, стыдно медлить,
Гнев рабов — не кобылий фырк...

Так давайте ж по липовой меди
Трахнем вместе к границам Уфы.

6
В СТАНЕ ЗАРУБИНА

Зарубин

Эй ты, люд честной да веселый,
Забубенная трын-трава!

Подружилась с твоими селами
Скуломордая татарва.
Свищут кони, как вихри, по полю,
Только взглянешь — и след простыл.
Месяц, желтыми крыльями хлопая,
Раздирает, как ястреб, кусты.
Загляжусь я по ровной голи
В синью стынущие луга,
Не березовая ль то Монголия?
Не кибитки ль киргиз — стога?..

Слушай, люд честной, слушай, слушай
Свой кочевнический пересвист!
Оренбург, осажденный Хлопушей,
Ест лягушек, мышей и крыс.
Треть страны уже в наших руках,
Треть страны мы как войско выставили.
Нынче ж в ночь потеряет враг
По Приволжью все склады и пристани.

Ш и г а е в

Стоп, Зарубин!
Ты, наверное, не слыхал,
Это видел не я...
Другие...
Многие...
Около Самары с пробитой башкой ольха,
Капая желтым мозгом,
Прихрамывает при дороге.
Словно слепец, от ватаги своей отстав,
С гнусавой и хриплой дрожью
В рваную шапку вороньего гнезда
Просит она на пропитанье
У проезжих и у прохожих.

Но никто ей не бросит даже камня.
В испуге крестясь на звезду,
Все считают, что это страшное знамение,
Предвещающее беду.
Что-то будет. Что-то должно случиться.
Говорят, наступит глад и мор,
По сту раз на лету будет склевывать птица
Желудочное свое серебро.

Торнов

Да-да-да!
Что-то будет!
Повсюду
Воют слухи, как псы у ворот,
Дует в души суровому люду
Ветер сырью и вонью болот.
Быть беде!
Быть великой потере!
Знать, не зря с луговой стороны
Луны лошадиный череп
Каплет золотом сгнившей слюны.

Зарубин

Врете! Врете вы,
Нож вам в спины!
С детства я не видал в глаза,
Чтоб от этакой чертовщины
Хуже бабы дрожал казак.

Шигаев

Не дрожим мы, ничуть не дрожим!
Наша кровь — не башкирские хляби.

Сам ты знаешь ведь, чьи ножи
Пробивали дорогу в Челябинск.
Сам ты знаешь, кто брал Осу,
Кто разбил наголо Сарапуль.
Столько мух не сидело у тебя на носу,
Сколько пуль в наши спины вцарапали.
В стужу ль, в сырость ли,
В ночь или днем —
Мы всегда наготове к бою,
И любой из нас больше дорожит конем,
Чем разбойной своей головою.
Но кому-то грозится, грозится беда,
И ее ль казаку не слышать?
Посмотри, вон сидит дымовая труба,
Как наездник, верхом на крыше.
Вон другая, вон третья,
Не счесть их рыл
С залихватской тоской остолопов,
И весь дикий табун деревянных кобыл
Мчится, пылью клубя, галопом.
Ну куда ж он? Зачем он?
Каких дорог
Оголтелые всадники ищут?
Их стегает, стегает переполох
По стеклянным глазам кнутовищем.

Зарубин

Нет, нет, нет!
Ты не понял...
То слышится звань,
Звань к оружью под каждой оконницей.
Знаю я, нынче ночью идет на Казань
Емельян со свирепой конницей.
Сам вчера, от восторга едва дыша,

За горой в предрассветной мгле
Видел я, как тянулись за Черемшан
С артиллерией тысчи телег.
Как торжественно с хрипом колесным обоз
По дорожным камням грохотал.
Рев верблюдов сливался с блеянием коз
И с гортанною речью татар.

Торнов

Что ж, мы верим, мы верим,
Быть может,
Как ты мыслишь, все так и есть;
Голос гнева, с бедою схожий,
Нас сзывает на страшную месть.
Дай Бог!
Дай Бог, чтоб так и сталось.

Зарубин

Верьте, верьте!
Я вам клянусь!
Не беда, а нежданная радость
Упадет на мужицкую Русь.
Вот взвзвенел, словно сабли о панцири,
Синий сумрак над ширью равнин.
Даже рощи —
И те повстанцами
Подымают хоругви рябин.
Зреет, зреет веселая сеча.
Взвоет в небо кровавый туман.
Гулом ядер и свистом картечи
Будет завтра их крыть Емельян.
И чтоб бунт наш гремел безысходней,

Чтоб вконец не сосала тоска, —
Я сегодня ж пошлю вас, сегодня,
На подмогу его войскам.

7

ВЕТЕР КАЧАЕТ РОЖЬ

Чумаков

Что это? Как это? Неужель мы разбиты?
Сумрак голодной волчицей выбежал кровь зари лакать.
О эта ночь! Как могильные плиты,
По небу тянутся каменные облака.
Выйдешь в поле, зовешь, зовешь,
Кличешь старую рать, что легла под Сарептой,
И глядишь и не видишь — то ли зыбится рожь,
То ли желтые полчища пляшущих скелетов.
Нет, это не август, когда осыпаются овсы,
Когда ветер по полям их колотит дубинкой грубой.
Мертвые, мертвые, посмотрите, кругом мертвецы,
Вон они хохочут, выплевывая сгнившие зубы.
Сорок тысяч нас было, сорок тысяч,
И все сорок тысяч за Волгой легли, как один.
Даже дождь так не смог бы траву иль солому высечь,
Как осыпали саблями головы наши они.

Что это? Как это? Куда мы бежим?
Сколько здесь нас в живых осталось?
От горящих деревень бьющий лапами в небо дым
Расстилает по земле наш позор и усталость.
Лучше б было погибнуть нам там и лечь,
Где кружит воронье беспокойным, зловещим свадьбищем,
Чем струить эти пальцы пятерками пылающих свеч,
Чем нести это тело с гробами надежд, как кладбище!

Бурнов

Нет! Ты не прав, ты не прав, ты не прав!
Я сейчас чувством жизни, как никогда, болен.
Мне хотелось бы, как мальчишке, кувыркаться
по золоту трав
И сшибать черных галок с крестов голубых
колоколен.

Все, что отдал я за свободу черни,
Я хотел бы вернуть и поверить снова,
Что вот эту луну,
Как керосиновую лампу в час вечерний,
Зажигает фонарщик из города Тамбова.
Я хотел бы поверить, что эти звезды — не звезды,
Что это — желтые бабочки, летящие на лунное
пламя...

Друг!..
Зачем же мне в душу ты ропотом слезным
Бросаешь, как в стекла часовни, камнем?

Чумаков

Что жалеть тебе смрадную холодную душу —
Околевшего медвежонка в тесной берлоге?
Знаешь ли ты, что в Оренбурге зарезали Хлопушу?
Знаешь ли ты, что Зарубин в Табинском остроге?
Наше войско разбито вконец Михельсоном,
Калмыки и башкиры удрали к Аральску в Азию.
Не с того ли так жалобно
Суслики в поле притоптанном стонут,
Обрызгивая мертвые головы, как кленовые листья,
грязью?
Гибель, гибель стучит по деревням в колотушку.
Кто ж спасет нас? Кто даст нам укрыться?
Посмотри! Там опять, там опять за опушкой
В воздух крылья крестами бросают крикливые птицы.

Бурнов

Нет, нет, нет! Я совсем не хочу умереть!
Эти птицы напрасно над нами вьются.
Я хочу снова отроком, отряхая с осинника медь,
Подставлять ладони, как белые скользкие блюдца.
Как же смерть?
Разве мысль эта в сердце поместится,
Когда в Пензенской губернии у меня есть свой дом?
Жалко солнышко мне, жалко месяц,
Жалко тополь над низким окном.
Только для живых ведь благословенны
Рощи, потоки, степи и зеленя.
Слушай, плевать мне на всю вселенную,
Если завтра здесь не будет меня!
Я хочу жить, жить, жить,
Жить до страха и боли!
Хоть карманником, хоть золоторотцем,
Лишь бы видеть, как мыши от радости прыгают в поле,
Лишь бы слышать, как лягушки от восторга поют
в колодце.
Яблоневым цветом брызжется душа моя белая,
В синее пламя ветер глаза раздул.
Ради Бога, научите меня,
Научите меня, и я что угодно сделаю,
Сделаю что угодно, чтоб звенеть в человечьем саду!

Творогов

Стойте! Стойте!
Если б знал я, что вы не трусливы,
То могли б мы спастись без труда.
Никому б не открыли наш заговор безъязыкие ивы,
Сохранила б молчанье одинокая в небе звезда.
Не пугайтесь!
Не пугайтесь жестокого плана,

Это не тяжелее, чем хруст ломаемых в теле костей,
Я хочу предложить вам Связать на заре Емельяна
И отдать его в руки грозящих нам смертью властей.

Чумаков

Как, Емельяна?

Бурнов

Нет! Нет! Нет!

Творогов

Хе-хе-хе!
Вы глупее, чем лошади!
Я уверен, что завтра ж,
Лишь золотом плюнет рассвет,
Вас развесят солдаты, как туш, на какой-нибудь
                                                    площади,
И дурак тот, дурак, кто жалеть будет вас,
Оттого что сами себе вы придумали тернии.
Только раз ведь живем мы, только раз!
Только раз светит юность, как месяц в родной губернии.
Слушай, слушай, есть дом у тебя на Суре,
Там в окно твое тополь стучится багряными листьями,
Словно хочет сказать он хозяину в хмурой
                                        октябрьской поре,
Что изранила его осень холодными меткими
                                                выстрелами.
Как же сможешь ты тополю помочь?
Чем залечишь ты его деревянные раны?
Вот такая же жизни осенняя гулкая ночь
Общипала, как тополь зубами дождей, Емельяна.
Знаю, знаю, весной, когда лает вода,

Тополь снова покроется мягкой зеленой кожей.
Но уж старые листья на нем не взойдут никогда —
Их растащит зверье и потопчут прохожие.

Что мне в том, что сумеет Емельян скрыться в Азию?
Что, набравши кочевников, может снова удариться
в бой?
Все равно ведь и новые листья падут и покроются
грязью.
Слушай, слушай, мы старые листья с тобой!
Так чего ж нам качаться на голых корявых ветвях?
Лучше оторваться и броситься в воздух кружиться,
Чем лежать и струить золотое гниенье в полях,
Чем глаза твои выклюют черные хищные птицы.
Тот, кто хочет за мной, — в добрый час!
Нам башка Емельяна — как челн
Потопающим в дикой реке.

Только раз ведь живем мы, только раз!
Только раз славит юность, как парус, луну вдалеке.

8
КОНЕЦ ПУГАЧЕВА

Пугачев

Вы с ума сошли! Вы с ума сошли! Вы с ума сошли!
Кто сказал вам, что мы уничтожены?
Злые рты, как с протухшею пищей кошли,
Зловонно рыгают бесстыдной ложью.
Трижды проклят тот трус, негодяй и злодей,
Кто сумел окормить вас такою дурью.
Нынче ж в ночь вы должны оседлать лошадей
И попасть до рассвета со мною в Гурьев.
Да, я знаю, я знаю, мы в страшной беде,

Но затем-то и злей над туманною вязью
Деревянными крыльями по каспийской воде
Наши лодки заплещут, как лебеди, в Азию.
О Азия, Азия! Голубая страна,
Обсыпанная солью, песком и известкой.
Там так медленно по небу едет луна,
Поскрипывая колесами, как киргиз с повозкой.
Но зато кто бы знал, как бурливо и гордо
Скачут там шерстожелтые горные реки?
Не с того ли так свищут монгольские орды
Всем тем диким и злым, что сидит в человеке?

Уж давно я, давно я скрывал тоску
Перебраться туда, к их кочующим станам,
Чтоб разящими волнами их сверкающих скул
Стать к преддверьям России, как тень Тамерлана.
Так какой же мошенник, прохвост и злодей
Окормил вас бесстыдной трусливой дурью?
Нынче ж в ночь вы должны оседлать лошадей
И попасть до рассвета со мною в Гурьев.

Крямин

О смешной, о смешной, о смешной Емельян!
Ты все такой же сумасбродный, слепой и вкрадчивый;
Расплескалась удаль твоя по полям,
Не вскипеть тебе больше ни в какой азиатчине.
Знаем мы, знаем твой монгольский народ,
Нам ли храбрость его не известна?
Кто же первый, кто первый, как не этот сброд
Под Сакмарой ударился в бегство?
Как всегда, как всегда, эта дикая гнусь
Выбирала для жертвы самых слабых и меньших,
Только б грабить и жечь ей пограничную Русь
Да привязывать к седлам добычей женщин.

Ей всегда был приятней набег и разбой,
Чем суровые походы с житейской хмурью.
. . . .
Нет, мы больше не можем идти за тобой,
Не хотим мы ни в Азию, ни на Каспий, ни в Гурьев.

Пугачев

Боже мой, что я слышу?
Казак, замолчи!
Я заткну твою глотку ножом иль выстрелом...
Неужели и вправду отзвенели мечи?
Неужель это плата за все, что я выстрадал?
Нет, нет, нет, не поверю, не может быть!
Не на то вы взрастали в степных станицах,
Никакие угрозы суровой судьбы
Не должны вас заставить смириться.
Вы должны разжигать еще больше тот взвой,
Когда ветер метелями с наших стран дул...

Смело ж к Каспию! Смело за мной!
Эй вы, сотники, слушать команду!

Крямин

Нет! Мы больше не слуги тебе!
Нас не взманит твое сумасбродство.
Не хотим мы в ненужной и глупой борьбе
Лечь, как толпы других, по погостам.
Есть у сердца невзгоды и тайный страх
От кровавых раздоров и стонов.
Мы хотели б, как прежде, в родных хуторах
Слушать шум тополей и кленов.
Есть у нас роковая зацепка за жизнь,
Что прочнее канатов и проволок...

Не пора ли тебе, Емельян, сложить
Перед властью мятежную голову?!

Все равно то, что было, назад не вернешь,
Знать, недаром листвою октябрь заплакал...

Пугачев

Как? Измена?
                    Измена?
Ха-ха-ха!..
                    Ну так что ж!
Получай же награду свою, собака!

(Стреляет.)

Крямин падает мертвым. Казаки с криком обнажают сабли.
Пугачев, отмахиваясь кинжалом, пятится к стене.

Голоса

Вяжите его! Вяжите!

Творогов

Бейте! Бейте прямо саблей в морду!

Первый голос

Натерпелись мы этой прыти...

Второй голос

Тащите его за бороду...

Пугачев

...Дорогие мои... Хор-рошие...
Что случилось? Что случилось? Что случилось?

Кто так страшно визжит и хохочет
В придорожную грязь и сырость?
Кто хихикает там исподтишка,
Злобно отплевываясь от солнца?
. . . .
...Ах, это осень!
Это осень вытряхивает из мешка
Чеканенные сентябрем червонцы.
Да! Погиб я!
Приходит час...
Мозг, как воск, каплет глухо, глухо...
...Это она!
Это она подкупила вас,
Злая и подлая оборванная старуха.
Это она, она, она,
Разметав свои волосы зарею зыбкой,
Хочет, чтоб сгибла родная страна
Под ее невеселой холодной улыбкой.

Творогов

Ну, рехнулся... чего ж глазеть?
Вяжите!
Чай, не выбьет стены головою.
Слава Богу! конец его зверской резне,
Конец его злобному волчьему вою.
Будет ярче гореть теперь осени медь,
Мак зари черпаками ветров не выхлестать.
Торопитесь же!
Нужно скорей поспеть
Передать его в руки правительства.

Пугачев

Где ж ты? Где ж ты, былая мощь?
Хочешь встать — и рукою не можешь двинуться!

Юность, юность! Как майская ночь,
Отзвенела ты черемухой в степной провинции.
Вот всплывает, всплывает синь ночная над Доном,
Тянет мягкою гарью с сухих перелесиц.
Золотою известкой над низеньким домом
Брызжет широкий и теплый месяц.
Где-то хрипло и нехотя кукарекнет петух,
В рваные ноздри пылью чихнет околица,
И все дальше, все дальше, встревоживши сонный луг,
Бежит колокольчик, пока за горой не расколется.
Боже мой!
Неужели пришла пора?
Неужель под душой так же падаешь, как под ношей?
А казалось... казалось еще вчера...
Дорогие мои... дорогие... хор-рошие...

Март—август 1921

АННА СНЕГИНА

А. Воронскому

1

«Село, значит, наше — Радово,
Дворов, почитай, два ста.
Тому, кто его оглядывал,
Приятственны наши места.
Богаты мы лесом и водью,
Есть пастбища, есть поля.
И по всему угодью
Рассажены тополя.

Мы в важные очень не лезем,
Но все же нам счастье дано.
Дворы у нас крыты железом,
У каждого сад и гумно.
У каждого крашены ставни,
По праздникам мясо и квас.
Недаром когда-то исправник
Любил погостить у нас.

Оброки платили мы к сроку,
Но — грозный судья — старшина
Всегда прибавлял к оброку
По мере муки и пшена.
И чтоб избежать напасти,

233

Излишек нам был без тягóт.
Раз — власти, на то они власти,
А мы лишь простой народ.

Но люди — все грешные души.
У многих глаза — что клыки.
С соседней деревни Криуши
Косились на нас мужики.
Житье у них было плохое —
Почти вся деревня вскачь
Пахала одной сохою
На паре заезженных кляч.

Каких уж тут ждать обилий, —
Была бы душа жива.
Украдкой они рубили
Из нашего леса дрова.
Однажды мы их застали...
Они в топоры, мы тож.
От звона и скрежета стали
По телу катилась дрожь.

В скандале убийством пахнет.
И в нашу и в их вину
Вдруг кто-то из них как ахнет! —
И сразу убил старшину.
На нашей быдластой сходке
Мы делу условили ширь.
Судили. Забили в колодки
И десять услали в Сибирь.
С тех пор и у нас неуряды.
Скатилась со счастья вожжа.
Почти что три года кряду
У нас то падеж, то пожар».

*

Такие печальные вести
Возница мне пел весь путь.
Я в радовские предместья
Ехал тогда отдохнуть.

Война мне всю душу изъела.
За чей-то чужой интерес
Стрелял я в мне близкое тело
И грудью на брата лез.

Я понял, что я — игрушка,
В тылу же купцы да знать,
И, твердо простившись с пушками,
Решил лишь в стихах воевать.
Я бросил мою винтовку,
Купил себе «липу»[1], и вот
С такою-то подготовкой
Я встретил 17-й год.

Свобода взметнулась неистово.
И в розово-смрадном огне
Тогда над страною калифствовал
Керенский на белом коне.
Война «до конца», «до победы».
И ту же сермяжную рать
Прохвосты и дармоеды
Сгоняли на фронт умирать.
Но все же не взял я шпагу...
Под грохот и рев мортир

---

[1] «Липа» — подложный документ. (*Прим. С.Есенина.*)

Другую явил я отвагу —
Был первый в стране дезертир.

*

Дорога довольно хорошая,
Приятная хладная звень.
Луна золотою порошею
Осыпала даль деревень.
«Ну, вот оно, наше Радово, —
Промолвил возница, —
Здесь!
Недаром я лошади вкладывал
За норов ее и спесь.
Позволь, гражданин, на чаишко.
Вам к мельнику надо?
Так вон!..
Я требую с вас без излишка
За дальний такой прогон».
. . . .
Даю сороковку.
«Мало!»
Даю еще двадцать.
«Нет!»
Такой отвратительный малый.
А малому тридцать лет.
«Да что ж ты?
Имеешь ли душу?
За что ты с меня гребешь?»
И мне отвечает туша:
«Сегодня плохая рожь.
Давайте еще незвонких
Десяток иль штучек шесть —
Я выпью в шинке самогонки
За ваше здоровье и честь...»

И вот я на мельнице...
Ельник
Осыпан свечьми светляков.
От радости старый мельник
Не может сказать двух слов:
«Голубчик! Да ты ли?
Сергуха!
Озяб, чай? Поди, продрог?
Да ставь ты скорее, старуха,
На стол самовар и пирог!»

В апреле прозябнуть трудно,
Особенно так в конце.
Был вечер задумчиво чудный,
Как дружья улыбка в лице.
Объятья мельника круты,
От них заревет и медведь,
Но все же в плохие минуты
Приятно друзей иметь.

«Откуда? Надолго ли?»
«На год».
«Ну, значит, дружище, гуляй!
Сим летом грибов и ягод
У нас хоть в Москву отбавляй.
И дичи здесь, братец, до черта,
Сама так под порох и прет.
Подумай ведь только...
Четвертый
Тебя не видали мы год...»
. . . .
. . . .

Беседа окончена...
Чинно

Мы выпили весь самовар.
По-старому с шубой овчинной
Иду я на свой сеновал.
Иду я разросшимся садом,
Лицо задевает сирень.
Так мил моим вспыхнувшим взглядам
Состарившийся плетень.
Когда-то у той вон калитки
Мне было шестнадцать лет,
И девушка в белой накидке
Сказала мне ласково: «Нет!»
Далекие, милые были.
Тот образ во мне не угас...
Мы все в эти годы любили,
Но мало любили нас.

2

«Ну что же! Вставай, Сергуша!
Еще и заря не текла,
Старуха за милую душу
Оладьев тебе напекла.
Я сам-то сейчас уеду
К помещице Снегиной...
Ей
Вчера настрелял я к обеду
Прекраснейших дупелей».

Привет тебе, жизни денница!
Встаю, одеваюсь, иду.
Дымком отдает росяница
На яблонях белых в саду.
Я думаю:
Как прекрасна
Земля
И на ней человек.

И сколько с войной несчастных
Уродов теперь и калек!
И сколько зарыто в ямах!
И сколько зароют еще!
И чувствую в скулах упрямых
Жестокую судоргу щек.

Нет, нет!
Не пойду навеки!
За то, что какая-то мразь
Бросает солдату-калеке
Пятак или гривенник в грязь.

«Ну, доброе утро, старуха!
Ты что-то немного сдала?»
И слышу сквозь кашель глухо:
«Дела одолели, дела.
У нас здесь теперь неспокойно.
Испариной все зацвело.
Сплошные мужицкие войны —
Дерутся селом на село.
Сама я своими ушами
Слыхала от прихожан:
То радовцев бьют криушане,
То радовцы бьют криушан.
А все это, значит, безвластье.
Прогнали царя...
Так вот...
Посыпались все напасти
На наш неразумный народ.
Открыли зачем-то остроги,
Злодеев пустили лихих.
Теперь на большой дороге
Покою не знай от них.
Вот тоже, допустим... С Криуши...

Их нужно б в тюрьму за тюрьмой,
Они ж, воровские души,
Вернулись опять домой.
У них там есть Прон Оглоблин,
Булдыжник, драчун, грубиян.
Он вечно на всех озлоблен,
С утра по неделям пьян.
И нагло в третьевом годе,
Когда объявили войну,
При всем честном народе
Убил топором старшину.
Таких теперь тысячи стало
Творить на свободе гнусь.
Пропала Расея, пропала...
Погибла кормилица Русь...»

Я вспомнил рассказ возницы
И, взяв свою шляпу и трость,
Пошел мужикам поклониться,
Как старый знакомый и гость.

*

Иду голубою дорожкой
И вижу — навстречу мне
Несется мой мельник на дрожках
По рыхлой еще целине.
«Сергуха! За милую душу!
Постой, я тебе расскажу!
Сейчас! Дай поправить вожжу,
Потом и тебя оглоушу.
Чего ж ты мне утром ни слова?
Я Снегиным так и бряк:
Приехал ко мне, мол, веселый
Один молодой чудак.

(Они ко мне очень желанны,
Я знаю их десять лет.)
А дочь их замужняя Анна
Спросила:
— Не тот ли, поэт?
— Ну, да, — говорю, — он самый.
— Блондин?
— Ну, конечно, блондин!
— С кудрявыми волосами?
— Забавный такой господин!
— Когда он приехал?
— Недавно.
— Ах, мамочка, это он!
Ты знаешь,
Он был забавно
Когда-то в меня влюблен.
Был скромный такой мальчишка,
А нынче...
Поди ж ты...
Вот...
Писатель...
Известная шишка...
Без просьбы уж к нам не придет».

И мельник, как будто с победы,
Лукаво прищурил глаз:
«Ну, ладно! Прощай до обеда.
Другое сдержу про запас».

Я шел по дороге в Криушу
И тростью сшибал зеленя.
Ничто не пробилось мне в душу,
Ничто не смутило меня.
Струилися запахи сладко,
И в мыслях был пьяный туман...

Теперь бы с красивой солдаткой
Завесть хорошо роман.

*

Но вот и Криуша...
Три года
Не зрел я знакомых крыш.
Сиреневая погода
Сиренью обрызгала тишь.
Не слышно собачьего лая,
Здесь нечего, видно, стеречь —
У каждого хата гнилая,
А в хате ухваты да печь.
Гляжу, на крыльце у Прона
Горластый мужицкий галдеж.
Толкуют о новых законах,
О ценах на скот и рожь.
«Здорово, друзья!»
«Э, охотник!
Здорово, здорово!
Садись!
Послушай-ка ты, беззаботник,
Про нашу крестьянскую жисть.
Что нового в Питере слышно?
С министрами, чай, ведь знаком?
Недаром, едрит твою в дышло,
Воспитан ты был кулаком.
Но все ж мы тебя не порочим.
Ты — свойский, мужицкий, наш,
Бахвалишься славой не очень
И сердце свое не продашь.
Бывал ты к нам зорким и рьяным,
Себя вынимал на испод...
Скажи:

Отойдут ли крестьянам
Без выкупа пашни господ?
Кричат нам,
Что землю не троньте,
Еще не настал, мол, миг.
За что же тогда на фронте
Мы губим себя и других?»

И каждый с улыбкой угрюмой
Смотрел мне в лицо и в глаза,
А я, отягченный думой,
Не мог ничего сказать.
Дрожали, качались ступени,
Но помню
Под звон головы:
«Скажи,
Кто такое Ленин?»
Я тихо ответил:
«Он — вы».

3

На корточках ползали слухи,
Судили, решали, шепча.
И я от моей старухи
Достаточно их получал.

Однажды, вернувшись с тяги,
Я лег подремать на диван.
Разносчик болотной влаги,
Меня прознобил туман.
Трясло меня, как в лихорадке,
Бросало то в холод, то в жар,
И в этом проклятом припадке
Четыре я дня пролежал.

Мой мельник с ума, знать, спятил.
Поехал,
Кого-то привез...
Я видел лишь белое платье
Да чей-то привздернутый нос.
Потом, когда стало легче,
Когда прекратилась трясь,
На пятые сутки под вечер
Простуда моя улеглась.
Я встал.
И лишь только пола
Коснулся дрожащей ногой,
Услышал я голос веселый:
«А!
Здравствуйте, мой дорогой!
Давненько я вас не видала.
Теперь из ребяческих лет
Я важная дама стала,
А вы — знаменитый поэт.
. . . .

Ну, сядем.
Прошла лихорадка?
Какой вы теперь не такой!
Я даже вздохнула украдкой,
Коснувшись до вас рукой.
Да...
Не вернуть, что было.
Все годы бегут в водоем.
Когда-то я очень любила
Сидеть у калитки вдвоем.
Мы вместе мечтали о славе...
И вы угодили в прицел,
Меня же про это заставил
Забыть молодой офицер...»

*

Я слушал ее и невольно
Оглядывал стройный лик.
Хотелось сказать:
«Довольно!
Найдемте другой язык!»

Но почему-то, не знаю,
Смущенно сказал невпопад:
«Да... Да...
Я сейчас вспоминаю...
Садитесь.
Я очень рад.
Я вам прочитаю немного
Стихи
Про кабацкую Русь...
Отделано четко и строго.
По чувству — цыганская грусть»
«Сергей!
Вы такой нехороший.
Мне жалко,
Обидно мне,
Что пьяные ваши дебоши
Известны по всей стране.
Скажите:
Что с вами случилось?»
«Не знаю».
«Кому же знать?»
«Наверно, в осеннюю сырость
Меня родила моя мать».
«Шутник вы...»
«Вы тоже, Анна».
«Кого-нибудь любите?»
«Нет».
«Тогда еще более странно

Губить себя с этих лет:
Пред вами такая дорога...»

Сгущалась, туманилась даль...
Не знаю, зачем я трогал
Перчатки ее и шаль.
. . . .

Луна хохотала, как клоун.
И в сердце хоть прежнего нет,
По-странному был я полон
Наплывом шестнадцати лет.
Расстались мы с ней на рассвете
С загадкой движений и глаз...

Есть что-то прекрасное в лете,
А с летом прекрасное в нас.

*

Мой мельник...
Ох, этот мельник!
С ума меня сводит он.
Устроил волынку, бездельник,
И бегает, как почтальон.
Сегодня опять с запиской,
Как будто бы кто-то влюблен:
«Придите.
Вы самый близкий.
С любовью
        Оглоблин Прон».
Иду.
Прихожу в Криушу.
Оглоблин стоит у ворот

И спьяну в печенки и в душу
Костит обнищалый народ.
«Эй, вы!
Тараканье отродье!
Все к Снегиной!..
Р-раз и квас!
Даешь, мол, твои угодья
Без всякого выкупа с нас!»
И тут же, меня завидя,
Снижая сварливую прыть,
Сказал в неподдельной обиде:
«Крестьян еще нужно варить».

«Зачем ты позвал меня, Проша?»
«Конечно, не жать, не косить.
Сейчас я достану лошадь
И к Снегиной... вместе...
Просить...»
И вот запрягли нам клячу.
В оглоблях мосластая шкеть —
Таких отдают с придачей,
Чтоб только самим не иметь.
Мы ехали мелким шагом,
И путь нас смешил и злил:
В подъемах по всем оврагам
Телегу мы сами везли.

Приехали.
Дом с мезонином
Немного присел на фасад.
Волнующе пахнет жасмином
Плетневый его палисад.
Слезаем.
Подходим к террасе
И, пыль отряхая с плеч,

О чьем-то последнем часе
Из горницы слышим речь:
«Рыдай — не рыдай, — не помога...
Теперь он холодный труп...
Там кто-то стучит у порога.
Припудрись...
Пойду отопру...»

Дебелая грустная дама
Откинула добрый засов.
И Прон мой ей брякнул прямо
Про землю,
Без всяких слов.
«Отдай!.. —
Повторял он глухо. —
Не ноги ж тебе целовать!»

Как будто без мысли и слуха
Она принимала слова.
Потом в разговорную очередь
Спросила меня
Сквозь жуть:
«А вы, вероятно, к дочери?
Присядьте...
Сейчас доложу...»

Теперь я отчетливо помню
Тех дней роковое кольцо.
Но было совсем не легко мне
Увидеть ее лицо.
Я понял —
Случилось горе,
И молча хотел помочь.
«Убили... Убили Борю...

Оставьте!
Уйдите прочь!
Вы — жалкий и низкий трусишка.
Он умер...
А вы вот здесь...»

Нет, это уж было слишком.
Не всякий рожден перенесть.
Как язвы, стыдясь оплеухи,
Я Прону ответил так:
«Сегодня они не в духе...
Поедем-ка, Прон, в кабак...»

4

Все лето провел я в охоте.
Забыл ее имя и лик.
Обиду мою
На болоте
Оплакал рыдальщик-кулик.

Бедна наша родина кроткая
В древесную цветень и сочь,
И лето такое короткое,
Как майская теплая ночь.
Заря холодней и багровей.
Туман припадает ниц.
Уже в облетевшей дуброве
Разносится звон синиц.
Мой мельник вовсю улыбается,
Какая-то веселость в нем.
«Теперь мы, Сергуха, по зайцам
За милую душу пальнем!»
Я рад и охоте...

Коль нечем
Развеять тоску и сон.
Сегодня ко мне под вечер,
Как месяц, вкатился Прон.
«Дружище!
С великим счастьем!
Настал ожидаемый час!
Приветствую с новой властью!
Теперь мы всех р-раз и квас!
Без всякого выкупа с лета
Мы пашни берем и леса.
В России теперь Советы
И Ленин — старшой комиссар.
Дружище!
Вот это номер!
Вот это почин так почин.
Я с радости чуть не помер,
А брат мой в штаны намочил.
Едри ж твою в бабушку плюнуть!
Гляди, голубарь, веселей!
Я первый сейчас же коммуну
Устрою в своем селе».

У Прона был брат Лабутя,
Мужик — что твой пятый туз:
При всякой опасной минуте
Хвальбишка и дьявольский трус.
Таких вы, конечно, видали.
Их рок болтовней наградил.
Носил он две белых медали
С японской войны на груди.
И голосом хриплым и пьяным
Тянул, заходя в кабак:
«Прославленному под Ляояном
Ссудите на четвертак...»

250

Потом, насосавшись до дури,
Взволнованно и горячо
О сдавшемся Порт-Артуре
Соседу слезил на плечо.
«Голубчик! —
Кричал он. —
Петя!
Мне больно...
Не думай, что пьян.
Отвагу мою на свете
Лишь знает один Ляоян».

Такие всегда на примете.
Живут, не мозоля рук.
И вот он, конечно, в Совете,
Медали запрятал в сундук.
Но с тою же важной осанкой,
Как некий седой ветеран,
Хрипел под сивушной банкой
Про Нерчинск и Турухан:
«Да, братец!
Мы горе видали,
Но нас не запугивал страх...»
. . . .
Медали, медали, медали
Звенели в его словах.
Он Прону вытягивал нервы,
И Прон материл не судом.
Но все ж тот поехал первый
Описывать снегинский дом.

В захвате всегда есть скорость:
— Даешь! Разберем потом!
Весь хутор забрали в волость
С хозяйками и со скотом.

А мельник...
. . . .
Мой старый мельник
Хозяек привез к себе,
Заставил меня, бездельник,
В чужой ковыряться судьбе.
И снова нахлынуло что-то...
Тогда я всю ночь напролет
Смотрел на скривленный заботой
Красивый и чувственный рот.

Я помню —
Она говорила:
«Простите... Была не права...
Я мужа безумно любила.
Как вспомню... болит голова...
Но вас
Оскорбила случайно...
Жестокость была мой суд...
Была в том печальная тайна,
Что страстью преступной зовут.
Конечно,
До этой осени
Я знала б счастливую быль...
Потом бы меня вы бросили,
Как выпитую бутыль...
Поэтому было не надо...
Ни встреч... ни вобще продолжать...
Тем более с старыми взглядами
Могла я обидеть мать».

Но я перевел на другое,
Уставясь в ее глаза,
И тело ее тугое
Немного качнулось назад.

«Скажите,
Вам больно, Анна,
За ваш хуторской разор?»
Но как-то печально и странно
Она опустила свой взор.

. . . .

«Смотрите...
Уже светает.
Заря как пожар на снегу...
Мне что-то напоминает...
Но что?..
Я понять не могу...
Ах!.. Да...
Это было в детстве...
Другой... Не осенний рассвет...
Мы с вами сидели вместе...
Нам по шестнадцать лет...»

Потом, оглядев меня нежно
И лебедя выгнув рукой,
Сказала как будто небрежно:
«Ну, ладно...
Пора на покой...»

. . . .

Под вечер они уехали.
Куда?
Я не знаю куда.
В равнине, проложенной вехами,
Дорогу найдешь без труда.

Не помню тогдашних событий,
Не знаю, что сделал Прон.
Я быстро умчался в Питер
Развеять тоску и сон.

Суровые, грозные годы!
Но разве всего описать?
Слыхали дворцовые своды
Солдатскую крепкую «мать».

Эх, удаль!
Цветение в далях!
Недаром чумазый сброд
Играл по дворам на роялях
Коровам тамбовский фокстрот.
За хлеб, за овес, за картошку
Мужик залучил граммофон, —
Слюнявя козлиную ножку,
Танго себе слушает он.
Сжимая от прибыли руки,
Ругаясь на всякий налог,
Он мыслит до дури о штуке,
Катающейся между ног.

Шли годы
Размашисто, пылко...
Удел хлебороба гас.
Немало попрело в бутылках
«Керенок» и «ходей» у нас.
Фефела! Кормилец! Касатик!
Владелец землей и скотом,
За пару измызганных «катек»
Он даст себя выдрать кнутом.
Ну, ладно.
Довольно стонов!
Не нужно насмешек и слов!
Сегодня про участь Прона
Мне мельник прислал письмо:
«Сергуха! За милую душу!

Привет тебе, братец! Привет!
Ты что-то опять в Криушу
Не кажешься целых шесть лет!
Утешь!
Соберись, на милость!
Прижваривай по весне!
У нас здесь такое случилось,
Чего не расскажешь в письме.
Теперь стал спокой в народе.
И буря пришла в угомон.
Узнай, что в двадцатом годе
Расстрелян Оглоблин Прон.

Расея...
Дуровая зыкь она.
Хошь верь, хошь не верь ушам —
Однажды отряд Деникина
Нагрянул на криушан.
Вот тут и пошла потеха...
С потехи такой — околеть.
Со скрежетом и со смехом
Гульнула казацкая плеть.
Тогда вот и чикнули Проню,
Лабутя ж в солому залез
И вылез,
Лишь только кони
Казацкие скрылись в лес.
Теперь он по пьяной морде
Еще не устал голосить:
«Мне нужно бы красный орден
За храбрость мою носить».
Совсем прокатились тучи...
И хоть мы живем не в раю,
Ты все ж приезжай, голубчик,
Утешить судьбину мою...»

И вот я опять в дороге.
Ночная июньская хмарь.
Бегут говорливые дроги
Ни шатко ни валко, как встарь.
Дорога довольно хорошая,
Равнинная тихая звень.
Луна золотою порошею
Осыпала даль деревень.
Мелькают часовни, колодцы,
Околицы и плетни.
И сердце по-старому бьется,
Как билось в далекие дни.

Я снова на мельнице...
Ельник
Усыпан свечьми светляков.
По-старому старый мельник
Не может связать двух слов:
«Голубчик! Вот радость! Сергуха!
Озяб, чай? Поди, продрог?
Да ставь ты скорее, старуха,
На стол самовар и пирог.
Сергунь! Золотой! Послушай!
. . . .
И ты уж старик по годам...
Сейчас я за милую душу
Подарок тебе передам».
«Подарок?»
«Нет...
Просто письмишко.
Да ты не спеши, голубок!
Почти что два месяца с лишком
Я с почты его приволок».

Вскрываю... читаю... Конечно!
Откуда же больше и ждать!
И почерк такой беспечный,
И лондонская печать.

«Вы живы?.. Я очень рада...
Я тоже, как вы, жива.
Так часто мне снится ограда,
Калитка и ваши слова.
Теперь я от вас далеко...
В России теперь апрель.
И синею заволокой
Покрыта береза и ель.
Сейчас вот, когда бумаге
Вверяю я грусть моих слов,
Вы с мельником, может, на тяге
Подслушиваете тетеревов.
Я часто хожу на пристань
И, то ли на радость, то ль в страх,
Гляжу средь судов все пристальней
На красный советский флаг.
Теперь там достигли силы.
Дорога моя ясна...
Но вы мне по-прежнему милы,
Как родина и как весна».

. . . .

Письмо как письмо.
Беспричинно.
Я в жисть бы таких не писал.

По-прежнему с шубой овчинной
Иду я на свой сеновал.
Иду я разросшимся садом,
Лицо задевает сирень.
Так мил моим вспыхнувшим взглядам

Погорбившийся плетень.
Когда-то у той вон калитки
Мне было шестнадцать лет.
И девушка в белой накидке
Сказала мне ласково: «Нет!»

Далекие милые были!..
Тот образ во мне не угас.

Мы все в эти годы любили,
Но, значит,
Любили и нас.

Январь 1925
Батум

ЧЕРНЫЙ ЧЕЛОВЕК

Друг мой, друг мой,
Я очень и очень болен.
Сам не знаю, откуда взялась эта боль.
То ли ветер свистит
Над пустым и безлюдным полем,
То ль, как рощу в сентябрь,
Осыпает мозги алкоголь.

Голова моя машет ушами,
Как крыльями птица.
Ей на шее ноги
Маячить больше невмочь.
Черный человек,
Черный, черный,
Черный человек
На кровать ко мне садится,
Черный человек
Спать не дает мне всю ночь.

Черный человек
Водит пальцем по мерзкой книге
И, гнусавя надо мной,
Как над усопшим монах,
Читает мне жизнь
Какого-то прохвоста и забулдыги,
Нагоняя на душу тоску и страх.
Черный человек,
Черный, черный!

«Слушай, слушай, —
Бормочет он мне, —
В книге много прекраснейших
Мыслей и планов.
Этот человек
Проживал в стране
Самых отвратительных
Громил и шарлатанов.

В декабре в той стране
Снег до дьявола чист,
И метели заводят
Веселые прялки.
Был человек тот авантюрист,
Но самой высокой
И лучшей марки.

Был он изящен,
К тому ж поэт,
Хоть с небольшой,
Но ухватистой силою,
И какую-то женщину,
Сорока с лишним лет,
Называл скверной девочкой
И своею милою.

Счастье, — говорил он, —
Есть ловкость ума и рук.
Все неловкие души
За несчастных всегда известны.
Это ничего,
Что много мук
Приносят изломанные
И лживые жесты.

В грозы, в бури,
В житейскую стынь,
При тяжелых утратах
И когда тебе грустно,
Казаться улыбчивым и простым —
Самое высшее в мире искусство».

«Черный человек!
Ты не смеешь этого!
Ты ведь не на службе
Живешь водолазовой.
Что мне до жизни
Скандального поэта.
Пожалуйста, другим
Читай и рассказывай».

Черный человек
Глядит на меня в упор.
И глаза покрываются
Голубой блевотой, —
Словно хочет сказать мне,
Что я жулик и вор,
Так бесстыдно и нагло
Обокравший кого-то.
. . . .
Друг мой, друг мой,
Я очень и очень болен.
Сам не знаю, откуда взялась эта боль.
То ли ветер свистит
Над пустым и безлюдным полем,
То ль, как рощу в сентябрь,
Осыпает мозги алкоголь.

Ночь морозная.
Тих покой перекрестка.

Я один у окошка,
Ни гостя, ни друга не жду.
Вся равнина покрыта
Сыпучей и мягкой известкой,
И деревья, как всадники,
Съехались в нашем саду.

Где-то плачет
Ночная зловещая птица.
Деревянные всадники
Сеют копытливый стук.
Вот опять этот черный
На кресло мое садится,
Приподняв свой цилиндр
И откинув небрежно сюртук.

«Слушай, слушай! —
Хрипит он, смотря мне в лицо,
Сам все ближе
И ближе клонится. —
Я не видел, чтоб кто-нибудь
Из подлецов
Так ненужно и глупо
Страдал бессонницей.

Ах, положим, ошибся!
Ведь нынче луна.
Что же нужно еще
Напоенному дремой мирику?
Может, с толстыми ляжками
Тайно придет „она“,
И ты будешь читать
Свою дохлую томную лирику?

Ах, люблю я поэтов!
Забавный народ.

В них всегда нахожу я
Историю, сердцу знакомую, —
Как прыщавой курсистке
Длинноволосый урод
Говорит о мирах,
Половой истекая истомою.

Не знаю, не помню,
В одном селе,
Может, в Калуге,
А может, в Рязани,
Жил мальчик
В простой крестьянской семье,
Желтоволосый,
С голубыми глазами...

И вот стал он взрослым,
К тому ж поэт,
Хоть с небольшой,
Но ухватистой силою,
И какую-то женщину,
Сорока с лишним лет,
Называл скверной девочкой
И своею милою».

«Черный человек!
Ты прескверный гость.
Эта слава давно
Про тебя разносится».
Я взбешен, разъярен,
И летит моя трость
Прямо к морде его,
В переносицу...
. . . .

...Месяц умер,
Синеет в окошко рассвет.
Ах ты, ночь!
Что ты, ночь, наковеркала?
Я в цилиндре стою.
Никого со мной нет.
Я один...
И разбитое зеркало...

14 ноября 1925

Владислав Ходасевич

Есенин

Летом 1925 года прочел я книжку Есенина под непривычно простым заглавием: «Стихи. 1920—24». Тут были собраны пьесы новые — и не совсем новые, т. е. уже входившие в его сборники. Видимо, автор хотел объединить стихи того, можно сказать, покаянного цикла, который взволновал и растрогал даже тех, кто ранее не любил, а то и просто не замечал есенинской поэзии.

Эта небольшая книжечка мне понравилась. Захотелось о ней написать. Я и начал было, но вскоре увидел, что в этом сборнике — итог целой жизни и что невозможно о нем говорить вне связи со всем предыдущим путем Есенина. Тогда я перечел «Собрание стихов и поэм» его — первый и единственный том, изданный Гржебиным. А когда перечел, то понял: сейчас говорить об Есенине невозможно. Книжка, меня (и многих других) взволновавшая, есть свидетельство острого и болезненного перелома, тяжелой и мучительной драмы в творчестве Есенина. Стало для меня несомненно, что настроения, отраженные в этом сборничке, переходные; они нарастали давно, но теперь достигли такой остроты, что вряд ли могут быть устойчивы, длительны; мне показалось, что так ли, иначе ли, — судьба Есенина вскоре должна решиться и в зависимости от этого решения новые его стихи станут на свое место, приобретут тот или иной смысл. В ту минуту писать о них — значило либо не договаривать, либо предсказывать. Предсказывать я не отважился. Решил ждать, что будет. К несчастию, ждать оказалось недолго: в ночь с 27 на 28 декабря в Петербурге, в гостинице «Англетер», «Сергей Есенин обернул вокруг своей шеи два раза веревку от чемодана, вывезенного из Европы, выбил из-под ног табуретку и повис лицом к синей ночи, смотря на Исаакиевскую площадь».

* * *

Он родился 21 сентября 1895 года в крестьянской семье, в Козминской волости, Рязанской губернии и уезда. С двух лет, по бедности и многочисленности семейства, был отдан на воспитание деду с материнской стороны, мужику более зажиточному. Стихи стал писать лет девяти, но более или менее сознательное сочинительство началось с шестнадцатилетнего возраста, когда Есенин окончил закрытую церковно-учительскую школу.

В своей автобиографии он рассказывает: «18 лет я был удивлен, разослав свои стихи по редакциям, что их не печатают, и неожиданно грянул в Петербург. Там меня приняли весьма радушно. Первый, кого я увидел, был Блок, второй Городецкий... Городецкий меня свел с Клюевым, о котором я раньше не слыхал ни слова».

«Грянул» он в Петербург простоватым парнем. Впоследствии сам рассказывал, что, увидев Блока, вспотел от волнения. Если вчитаемся в его первый сборник «Радуница», то увидим, что никаких ясно выраженных идей, отвлеченностей, схем он из своей Козминской волости в Петербург не привез. Явился с запасом известных наблюдений и чувств.

А «идеи» если и были, то они им переживались и ощущались, но не осознавались.

В основе ранней есенинской поэзии лежит любовь к родной земле. Именно к родной крестьянской земле, а не к России с ее городами, заводами, фабриками, с университетами и театрами, с политической и общественной жизнью. России в том смысле, как мы ее понимаем, он, в сущности, не знал. Для него родина — свои деревня да те поля и леса, в которых она затерялась. В лучшем случае — ряд таких деревень: избяная Русь, родная сторонушка, не страна: единство социальное и бытовое, а не государственное и даже не географическое. Какие-нибудь окраины для Есенина, разумеется, не Россия. Россия — Русь, Русь — деревня.

Для обитателя этой России весь жизненный подвиг — крестьянский труд. Крестьянин забит, нищ, гол. Так же убога его земля:

> Слухают ракиты
> Посвист ветряной...
> Край ты мой забытый,
> Край ты мой родной.

Такой же нищий, сливаясь с нею, ходит по этой земле мужицкий Бог:

> Шел Господь пытать людей в любови,
> Выходил Он нищим на кулижку.
> Старый дед на пне сухом, в дуброве,
> Жамкал деснами зачерствелую пышку.
>
> Увидал дед нищего дорогой,
> На тропинке, с клюшкою железной,
> И подумал: «Вишь, какой убогой, —
> Знать, от голода качается, болезный».

Подошел Господь, скрывая скорбь и муку:
Видно, мол, сердца их не разбудишь...
И сказал старик, протягивая руку:
— На, пожуй... маленько крепче будешь.

Можно по стихам Есенина восстановить его ранние мужицко-религиозные тенденции. Выйдет, что миссия крестьянина божественна, ибо крестьянин как бы сопричастен творчеству Божью. Бог — отец. Земля — мать. Сын — урожай. Истоки есенинского культа, как видим, древние. От этих истоков до христианства еще ряд этапов. Пройдены ли они у Есенина? Вряд ли. Начинающий Есенин — полуязычник. Это отнюдь не мешает его вере быть одетою в традиционные образы христианского мифа. Его религиозные переживания выражены в готовой христианской терминологии. Только это и можно сказать с достоверностью. Говорить о **христианстве** Есенина было бы рискованно. У него христианство — не содержание, а форма, и употребление христианской терминологии приближается к литературному приему. Наряду с образами, заимствованными у христианства, Есенин раскрывает ту же мужицкую веру в формах вполне языческих:

Полюбил я мир и вечность,
Как родительский очаг.

Все в них благостно и свято,
Все тревожно и светло.
Плещет алый мак заката
На озерное стекло.

И невольно в море хлеба
Рвется образ с языка:

Отелившееся небо
Лижет красного телка.

Вот оно: небо — корова; хлеб, урожай — телок; небо родит урожай, правда высшая воплощается в урожай. Но Есенин сам покамест относится к этой формуле всего лишь как к образу, как к поэтической метафоре, нечаянно сорвавшейся с языка. Он еще сам не знает, что тут заключена его основная религиозная и общественная концепция. Но впоследствии мы увидим, как и под какими влияниями этот образ у него развился и что стал значить.

* * *

В конце 1912 года в Москве стал ко мне хаживать некий Х. Называл он себя крестьянским поэтом; был красив, чернобров, статен; старательно окал, любил побеседовать о разных там яровых и озимых. Держался он добрым молодцем, Бовой-королевичем. Уверял, разумеется, что нигде не учился. От С. В. Киссина (Муни), покойного моего друга, я знал, что Х. в одно время с ним был не то студентом, не то вольнослушателем на юридическом факультете. Стихи он писал недурно, гладко, но в том псевдорусском стиле, до которого я не охотник.

В его разговоре была смесь самоуничижения и наглости. Тогда это меня коробило, позже я насмотрелся на это вдоволь у пролетарских поэтов. Х. не ходил, не смотрел, а все как-то похаживал да поглядывал, то смиренничая, то наливаясь злостью. Не смеялся, а ухмылялся. Бывало, придет — на все лады извиняется: да можно ли? да не помешал ли? да, пожалуй, не ко двору пришелся? да не надоел ли? да не пора ли уж уходить? А сам нет-нет да шпилечку и отпустит. Читая свои стихи, почтительнейше просил указать, ежели что не так: поучить, наставить. Потому что — нам где же, мы люди темные, только вот, разумеется, которые ученые, — они хоть и все превзошли, а ни к чему они вовсе, да... Любил побеседовать о политике. Да, помещикам обязательно ужо — красного петуха (неизвестно что: пус**тят** или пус**тим**). Чтобы, значит, был царь — и мужик, больше никого. Капиталистов под жабры, потому что жиды (а вы сами, простите, не из евреев?) и хотят царя повалить, а сами всей Русью крещеною завладеть. Интеллигенции — земной поклон за то, что нас, неучей, просвещает. Только тоже сесть на шею себе не дадим: вот как справимся с богачами, так и ее по шапке. Фабричных — тоже: это все хулиганы, сволочь, бездельники. Русь — она вся христианская, да. Мужик — что? Тьфу, последнее дело, одно слово — смерд. А только ему полагается первое место, потому что он — вроде как соль земли...

А потом, помолчав:

— Да. А что она, соль? Полкопейки фунт.

Муни однажды о нем сказал:

— Бова твой подобен солнцу: заходит налево — взойдет направо. И еще хорошо, если не вынырнет просто в охранке.

Меж тем Х. изнывал от зависти: не давали ему покоя лавры другого мужика, Николая Клюева, который явился незадолго до того и уже выпустил две книги: одну — с предисловием Брюсова, другую — со вступительной статьею В. Свенцицкого, который без обиняков объявил Клюева **пророком**.

Действительно, гораздо более даровитый, чем Х., Клюев поехал уже в Петербург и успел там прогреметь: Городецкий о нем звонил во все колокола. Х., понятно, не усидел: тоже кинулся в Петербург. Там у него не особенно что-то удачно вышло: в пророки он не попал и вскоре вернулся — однако не без трофея: с фотографической карточкой, на которой был снят с Городецким и Клюевым: все трое — в русских рубахах, в смазных сапогах, с балалайками. Об этой поре, в одном из своих очерков петербургской литературной жизни, хорошо рассказал Г. Иванов:

«Приехав в Петербург, Клюев попал тотчас же под влияние Городецкого и твердо усвоил приемы мужичка-травести.

— Ну, Николай Алексеевич, как устроились вы в Петербурге?

— Слава тебе Господи, не оставляет Заступница нас, грешных. Сыскал клетушку, — много ли нам надо? Заходи, сынок, осчастливь. На Морской за углом живу.

Клетушка была номером «Отель де Франс», с цельным ковром и широкой турецкой тахтой. Клюев сидел на тахте, при воротничке и галстуке, и читал Гейне в подлиннике.

— Маракую малость по-басурманскому, — заметил он мой удивленный взгляд. — Маракую малость. Только не лежит душа. Наши соловьи голосистей, ох голосистей. Да что ж это я, — взволновался он, — дорогого гостя как принимаю. Садись, сынок, садись, голубь. Чем угощать прикажешь? Чаю не пью, табаку не курю, пряника медового не припас. А то, — он подмигнул, — если не торопишься, может, пополудничаем вместе? Есть тут один трактирчик.

Хозяин хороший человек, хоть и француз. Тут, за углом. Альбертом зовут.

Я не торопился.

— Ну вот и ладно, ну вот и чудесно, — сейчас обряжусь...

— Зачем же вам переодеваться?

— Что ты, что ты — разве можно? Ребята засмеют. Обожди минутку — я духом.

Из-за ширмы он вышел в поддевке, смазных сапогах и малиновой рубашке:

— Ну вот` — так-то лучше!

— Да ведь в ресторан в таком виде как раз не пустят.

— В общую и не просимся. Куда нам, мужичкам, промеж господ? Знай, сверчок, свой шесток. А мы не в общем, мы в клетушку-комнатушку, отдельный то есть. Туда и нам можно».

Вот именно в этих клетушках-комнатушках французских ресторанов и вырабатывался тогда городецко-клюевский style russe, не то православие, не то хлыстовство, не то революция, не то черносотенство. Для Городецкого, разумеется, все это была очередная безответственная шумиха и болтовня: он уже побывал к тому времени и символистом, и мистическим анархистом, и мистическим реалистом, и акмеистом. Он любил маскарады и вывески. Переодеваться мужичком было ему занимательно и рекламно. Но Клюев, хоть и «маракал по-басурманскому», был все же человек деревенский. Он, разумеется, знал, что таких мужичков, каким рядил его Городецкий, в действительности не бывает, — но барину не перечил: пущай забавляется. А сам между тем не то чтобы вовсе тишком да молчком, а эдак полусловцами да песенками, поддакивая да подмигивая и вправо и влево, и черносотенцу Городецкому, и эсерам, и членам религиозно-философского общества, и хлыстовским каким-то юношам, — выжидал. Чего?

* * *

То, что мой Х. выбалтывал несуразно, отрывочно и вразброд, можно привести в некоторую систему. Получится приблизительно следующее.

Россия — страна мужицкая. То, что в ней не от мужика и не для мужика, — накипь, которую надо соскоблить. Мужик — единственный носитель истинно русской религиозной и общественной идеи. Сейчас он подавлен и эксплуатируем людьми всех иных классов и профессий. Помещик, фабрикант, чиновник, интеллигент, рабочий, священник — все это разновидности паразитов, сосущих мужицкую кровь. И сами они, и все, что идет от них, должно быть сметено, а потом мужик построит новую Русь и даст ей новую правду и новое право, ибо он есть единственный источник того и другого. Законы, которые высижены в Петербурге чиновниками, он отменит ради своих законов, неписаных. И веру, которой учат попы, обученные в семинариях да академиях, мужик исправит и вместо церкви синодской построит новую — «земляную, лесную, зеленую». Вот тогда-то и превратится он из забитого Ивана-дурака в Ивана-царевича.

Такова программа. Какова же тактика? Тактика — выжидательная. Мужик окружен врагами: все на него и все сильнее его. Но если случится у врагов разлад и дойдет у них до когтей, вот тогда мужик и разогнет спину, и скажет свое последнее, решающее слово. Следовательно, пока что ему не по дороге ни с кем. Приходится еще ждать: кто первый пустит красного петуха, к тому и пристать. А с какого конца загорится, кто именно пустит — это пока все равно: хулиган ли, мастеровой пойдет на царя, царь ли кликнет опричнину унимать беспокойную земщину — безразлично. Снизу ли, сверху ли, справа ли, слева ли — все солома. Только бы полыхнуло.

Такова была клюевщина к 1913 году, когда Есенин появился в Петербурге. С Клюевым он тотчас подружился и подпал под его влияние. Есенин был молод, во многом неискушен и не то чтобы простоват — а была у него душа нараспашку. То, что бродило в нем смутно, неосознанно, в клюевщине было уже гораздо более разработано. Есенин пришел в Петербург, зная одно: плохо мужику и плохо мужицкому Богу. В Петербурге его просветили: ежели плохо, так надобно, чтобы стало лучше. И будет лучше: дай срок — подымется деревенская Русь. И в стихах Есенина зазвучал новый мотив:

> О, Русь, взмахни крылами,
> Поставь иную крепь.

> ....

> Довольно гнить и ноять,
> И славить взлетом гнусь —
> Уж смыла, стерла деготь
> Воспрянувшая Русь.

Самого себя он уже видит одним из пророков и песнопевцев этой Руси — в ряду с Алексеем Кольцовым, «смиренным Миколаем» Клюевым и беллетристом Чапыгиным:

Сокройся, сгинь ты, племя
Смердящих снов и дум!
На каменное темя
Несем мы звездный шум.

Грядущее уничтожение «смердящих снов», становление «иной крепи» видится Есенину еще смутно. «Звездный шум», который несут мужицкие пророки, можно тоже понять по-разному. Но Есенин уверен в одном: что

...не избегнуть бури,
Не миновать утрат,
Чтоб прозвенеть в лазури
Кольцом незримых врат.

Освобожденная Русь — град лазурный и невидимый. Это нечто неопределенно светлое. Конкретных черт ее не дает Есенин. Но знает конкретно, что путь к ней лежит через «бурю», в которой развернется мужицкая удаль. Иначе сказать — через революцию. Появление этого сознания — важнейший этап в душевной биографии Есенина.

Семнадцатый год оглушил нас. Мы как будто забыли, что революция не всегда идет снизу, а приходит и с самого верху. Клюевщина это хорошо знала. От связей с нижней она не зарекалась, но — это нужно заметить — в те годы скорее ждала революции сверху. Через год после появления Есенина в Петербурге началась война. И пока она длилась, Городецкий и Клюев явно ориентировались направо. Книга неистово патриотических стихов Городецкого «Четырнадцатый год» у многих еще в памяти. Там не только Царь, но даже Дворец и даже Площадь печатались с заглавных букв. За эту книгу Городецкий получил высочайший подарок — золотое перо. Он возил и Клюева в Царское Село, туда, где такой же мужичок, Григорий Распутин, норовил пустить красного петуха сверху. От клюевщины несло распутинщиной.

Еще не оперившийся Есенин в те годы был послушным спутником Клюева и Городецкого. Вместе с ними разгуливал он сусальным мужичком, носил щегольские сафьянные сапожки, голубую шелковую рубаху, подпоясанную золотым шнурком; на шнуре висел гребешок для расчесывания молодецких кудрей. В таком виде однажды я встретил Клюева и Есенина в трамвае, в Москве, когда приезжали они читать стихи в «Обществе свободной эстетики». Правда, верное чутье подсказало Есенину, что в перечень крестьянских пророков было бы смешно вставить барина Городецкого, но все-таки от компании он не отставал. От ориентации на Царское Село — тоже.

* * *

Это последнее обстоятельство закреплено в любопытном документе. Дело в том, что помимо автобиографии, которую я цитировал выше и которая писана летом 1922 года в Берлине, Есенин, уже по возвращении в советскую Россию, составил вторую. После смерти Есенина она была напечатана в журнале «Красная Нива».

По-видимому, эта вторая, московская автобиография написана неспроста. Мне неизвестно, какие именно обстоятельства и воздействия вызвали ее к жизни и куда она была представлена, но в ней есть важное отличие от берлинской: на сей раз Есенин в особом, дополнительном отрывке рассказывает о том, про что он раньше совершенно молчал: именно — о своих сношениях с высшими сферами и вообще о периоде 1915—1917 годов. Московская биография написана в том же непринужденном тоне, как и берлинская, но в ней чувствуется постоянная оглядка на советское начальство. Это сказалось даже в мелочах: например, Есенин дату своего рождения приводит уже не по старому стилю, а по новому: 3 октября вместо 21 сентября; церковно-учительскую школу, в которой он обучался, теперь он предусмотрительно именует учительской просто — и т. п. Что же касается неприятной темы о сношениях с Царским Селом, — то вряд ли мы ошибемся, если скажем, что это и есть главный пункт, ради которого писана вторая автобиография. Об этих сношениях ходили слухи давно. По-видимому, для Есенина настал наконец момент отчитаться перед советскими властями по этому делу и положить предел слухам. (Возможно, что это было как раз тогда, когда разыгралась история с антисоветскими дебошами Есенина.) Так ли, иначе ли — Есенину на сей раз пришлось быть более откровенным. И хотя он отнюдь не был откровенен до конца, все же мы имеем признание довольно существенное.

«В 1916 году был призван на военную службу, — пишет Есенин. — При некотором покровительстве полковника Ломана, адъютанта императрицы, был представлен ко многим льготам. Жил в Царском, недалеко от Разумника-Иванова. По просьбе Ломана однажды читал стихи императрице. Она после прочтения моих стихов сказала, что стихи мои красивы, но очень грустны. Я ей ответил, что такова вся Россия. Ссылался на бедность, климат и прочее».

Тут, несомненно, многое сказано — и многое затушевано. Начать с того, что покровительство адъютанта императрицы ни простому деревенскому парню, ни русскому поэту получить было не так легко. Не с улицы же Есенин пришел к Ломану. Несомненно, были какие-то связующие звенья, а главное — обстоятельства, в силу которых Ломан счел нужным принять участие в судьбе Есенина. Неправдоподобно и то, что стихи читались императрице просто «по просьбе Ломана». По письмам императрицы к государю мы знаем, в каком болезненно-нервозном состоянии находилась она в 1916 году и как старалась оттолкнуть от себя все, на чем не было санкции «Друга» или его кругов. Ей было во всяком случае не до стихов, тем более — никому не ведомого Есенина. В те дни и вообще-то получить у нее аудиенцию было трудно, а тут вдруг выходит, что Есенина она сама приглашает. В действительности, конечно, было иначе: это чтение устроили Есенину лица, с которыми он был так или иначе связан и которые были близки к императрице... Есенин довольно наивным приемом пытается отвести мысль читателя от этих царскосельских кружков: он как-то вскользь бросает фразу о том, что жил в Царском, «недалеко от Разумника-Иванова». Жил-то недалеко, но общался далеко не с одним Разумником-Ивановым.

Далее Есенин пишет: «Революция застала меня на фронте, в одном из дисциплинарных батальонов, куда угодил за то, что отказался написать стихи в честь царя». Это уж решительно ни на что не похоже. Во-первых, вряд ли можно было угодить в дисциплинарный батальон за отказ написать стихи в честь царя: к счастью или к несчастью, писанию или неписанию стихов в честь Николая II не придавали такого значения. Во-вторых же (и это главное) — трудно понять, почему Есенин считал невозможным писать стихи в честь царя, но не только читал стихи царице, а и посвящал их ей. Вот об этом последнем факте он тоже умолчал. Между тем летом 1918 года один московский издатель, библиофил и любитель книжных редкостей предлагал мне купить у него или выменять раздобытый окольными путями корректурный оттиск второй есенинской книги «Голубень». Книга эта вышла уже после февральской революции, но в урезанном виде. Набиралась же она еще в 1916 году, и полная корректура содержала целый цикл стихов, посвященных императрице. Не знаю, был ли в конце 1916 — в начале 1917 года Есенин на фронте, но несомненно, что получить разрешение на посвящение стихов императрице было весьма трудно — и уж во всяком случае разрешение не могло быть дано солдату дисциплинарного батальона.

Один из советских биографов Есенина некто Георгий Устинов, по-видимому хорошо знавший Есенина, историю о дисциплинарном батальоне рассказывает хоть и очень темно и, видимо, тоже не слишком правдиво, но все же как будто ближе к истине. Отметив, что литературное рождение Есенина было «в грозе и буре патриотизма» и что оно пришлось «кстати» для «общества распутинской складки», Устинов рассказывает, как во время войны Есенин по заказу каких-то кутящих офицеров принужден был писать какие-то стихи. О том, что дело шло о стихах в честь государя, Устинов умалчивает, а затем прибавляет, что когда «юноша-поэт взбунтовался, ему была указана прямая дорога в дисциплинарный батальон». Это значит, конечно, что за какой-то «бунт», может быть под пьяную руку, офицеры попугали Есенина дисциплинарным батальоном, которого он, по свидетельству Устинова, «избежал». Надо думать, что впоследствии, будучи вынужден поведать большевикам о своих придворных чтениях, Есенин припомнил эту угрозу и, чтобы уравновесить впечатление, выдал ее за действительную отправку в дисциплинарный батальон. Таким образом, он выставлял себя как бы даже «революционером».

Излагая дальнейшую жизнь Есенина, Устинов рассказывает, что при Временном Правительстве Есенин сблизился с эсерами, а после октября «повернулся лицом к большевистским Советам». В действительности таким перевертнем Есенин не был. Уже пишучи патриотические стихи и читая их в Царском, он в той или иной мере был близок к эсерам. Недаром, уверяя, будто отказался воспеть императора, он говорит, что «искал поддержки в Иванове-Разумнике». Но дело все в том, что Есенин не двурушничал, не страховал свою личную карьеру и там, и здесь, — а вполне последовательно держался клюевской тактики. Ему просто было безразлично, откуда пойдет революция, сверху или снизу. Он знал, что в последнюю минуту примкнет к тем, кто первый подожжет **Россию;** ждал, что из этого пламени фениксом, жар-птицею взлетит мужицкая Русь. После февраля он очутился в рядах эсеров. После раскола эсеров на правых и левых — в рядах левых там, где «крайнее», с теми, у кого в руках, как ему казалось, больше горючего материала. Программные различия были ему неважны, да, вероятно, и малоизвестны. Революция была для него лишь прологом гораздо более значительных событий. Эсеры (безразлично, правые или левые), как позже большевики, были для него теми, кто расчищает путь мужику и кого этот мужик в свое время одинаково сметет прочь. Уже к 1918 году был он на каком-то большевистском собрании и «приветливо улыбался решительно всем — кто бы и что бы ни говорил. Потом желтоволосый мальчик сам возымел желание сказать слово... и сказал:

— Революция... это ворон... ворон, которого мы выпускаем из своей головы... на разведку... Будущее больше...

В автобиографии 1922 года он написал: «В РКП я никогда не состоял, потому что чувствую себя гораздо левее».

«Левее» значило для него — дальше, позже, **за** большевиками, **над** большевиками. Чем «левее» — тем лучше.

* * *

Если припомним круг представлений, с которыми некогда явился Есенин в Петербург (я уже говорил, что они им скорее ощущались, чем сознавались), то увидим, что после революции они у него развивались очень последовательно, хотя, быть может, и ничего не выиграли в ясности.

Небо — корова. Урожай — телок. Правда земная — воплощение небесной. Земное так же свято, как небесное, но лишь постольку, поскольку оно есть чистое, беспримесное продолжение изначального космогонического момента. Земля должна оставаться лишь тем, чем она создана: произрасталищем. Привнесение чего бы то ни было сверх этого — искажение чистого лика земли, помеха непрерывно совершающемуся воплощению неба на земле. Земля — мать, родящая от неба. Единственное религиозно правое деление — помощь при этих родах, труд возле земли, земледелание, земледелие.

Сам Есенин заметил, что образ телка-урожая у него «сорвался с языка». Вернувшись к этому образу уже после революции, Есенин внес существенную поправку. Ведь телок родится от коровы, как урожай от земли. Следовательно, если ставить знак равенства между урожаем и телком, то придется его поставить и между землей и коровой. Получится новый образ: земля — корова. Образ древнейший, не Есениным созданный. Но Есенин как-то сам, собственным путем на него набрел, а набредя — почувствовал, что это в высшей степени отвечает самым основам его мироощущения. Естественно, что при этом первоначальная формула, небо — корова, должна была не то чтобы вовсе отпасть, но временно видоизмениться. (Впоследствии мы узнаем, что так и случилось: Есенин к ней вернулся.)

Россия для Есенина — Русь, та плодородящая земля, родина, на которой работали его прадеды и сейчас работают его дед и отец. Отсюда простейшее отождествление: если земля — корова, то все признаки этого понятия могут быть перенесены на понятие родина и любовь к родине олицетворится в любви к корове. Этой корове и несет Есенин благую весть о революции, как о предшественнице того, что уже «больше революции»:

О, родина, счастливый
И неисходный час!
Нет лучше, нет красивей
Твоих коровьих глаз.

Процесс революции представляется Есенину как смешение неба с землею, совершаемое в грозе и буре:

Плечьми трясем мы небо,
Руками зыбим мрак
И в тощий колос хлеба
Вдыхаем звездный злак.

О Русь, о степь и ветры,
И ты, мой отчий дом.
На золотой повети
Гнездится вешний гром.

Овсом мы кормим бурю,
Молитвой поим дол,
И пашню голубую
Нам пашет разум-вол.

Грядущее, то, что «больше революции», — есть уже рай на земле, — и в этом раю — **мужик**:

Осанна в вышних!
Холмы поют про рай.
И в том раю я вижу
Тебя, мой отчий край.

Под Маврикийским дубом
Сидит мой рыжий дед,
И светит его шуба
Горохом частых звезд.

И та кошачья шапка,
Что в праздник он носил,

Глядит, как месяц, зябко
На снег родных могил.

* * *

Все, что в 1917—1918 годах левыми эсерами и большевиками выдавалось за «контрреволюцию», было, разумеется, враждебно Есенину. Временное Правительство и Корнилов, Учредительное Собрание и монархисты, меньшевики и банкиры, правые эсеры и помещики, немцы и французы — все это одинаково была «гидра», готовая поглотить загоревшуюся «Звезду Востока». Возглашая, что

В мужичьих яслях
Родилось пламя
К миру всего мира,

Есенин искренно верил, например, что именно Англия особенно злоумышляет против:

Сгинь ты, английское юдо,
Расплещися по морям!
Наше северное чудо
Не постичь твоим сынам!

Ему казалось, что Россия страдает, потому темные силы на нее ополчились:

Господи, я верую!
Но введи в Свой рай
Дождевыми стрелами
Мой пронзенный край.

Так начинается поэма «Пришествие». Она примечательна в творчестве Есенина. В дальнейших строках Русь ему представляется тем местом, откуда приходит в мир последняя истина:

За горой нехоженой,
В синеве долин,
Снова мне, о Боже мой,
Предстает твой сын.

По Тебе томлюся я
Из мужичьих мест;
Из прозревшей Руссии
Он несет Свой крест.

Далее силы и события, которые, как сдается Есенину, мешают пришествию истины, даны им в образе воинов, бичующих Христа, отрекающегося Симона Петра, предающего Иуды и, наконец, Голгофы. Казалось бы, дело идет, с несомненностью, о Христе. В действительности это не так. Если мы внимательно перечтем революционные поэмы Есенина, предшествующие «Инонии», то увидим, что все образы христианского мифа здесь даны в измененных (или искаженных) видах, в том числе образ самого Христа. Это опять, как и в ранних стихах, происходит оттого, что Есенин пользуется евангельскими именами, произвольно вкладывая в них свое содержание. В действительности, в полном согласии с основными началами есенинской веры, мы можем расшифровать его псевдохристианскую терминологию и получим следующее:

Приснодева = земле = корове = Руси мужицкой.

Бог Отец = небу = истине.

Христос = Сыну неба и земли = урожаю = телку = воплощению небесной истины = Руси грядущей.

Для есенинского Христа распятие есть лишь случайный трагический эпизод, которому лучше бы не быть и которого **могло бы** не быть, если бы не... «контрреволюция». Примечательно, что в «Пришествии» подробно описаны бичевание, отречение Петра и предательство Иуды, а самое распятие, т. е. хоть и временное, но полное торжество, упомянуто: это именно потому, что контрреволюция, с которой, так сказать, как с натуры Есенин писал муки **своего** Христа, в действительности ни секунды не торжествовала. Так что, в сущности, **есенинский** Христос и не распят: распятие упомянуто ради полноты аналогии, для художественной цельности, но — вопреки исторической и религиозной правде (имею в виду религию Есенина).

Потому-то «Пришествие» и кончается как будто парадоксальным, но для Есенина вполне последовательным образом:

> Холмы поют о чуде,
> Про рай звенит песок.
> О, верю, верю — будет
> Телиться твой восток!
>
> В моря овса и гречи
> Он кинет нам телка...
> Но долог срок до встречи,
> А гибель так близка!

Т. е. верю, что постреволюция будет, но боюсь контрреволюции.

Потому и понятно есенинское восклицание в начале следующей поэмы:

> Облака лают,
> Ревет златозубая высь...

Пою и взываю:
Господи, отелись!

Последний стих в свое время вызвал взрыв недоумения и негодования. И то и другое напрасно. Нечего было недоумевать, ибо Есенин даже не вычурно, а с величайшей простотой, с точностью, доступной лишь крупным художникам, высказал свою главную мысль. Негодовать было тоже напрасно или по крайней мере поздно, потому что Есенин обращался к своему языческому богу — с верою и благочестием. Он говорил: «Боже мой, воплоти свою правду в Руси грядущей». А что он узурпировал образы и имена веры Христовой — этим надо было возмущаться гораздо раньше, при первом появлении не Есенина, а Клюева.

Несомненно, что и телок есенинский, как ни неприятно это высказать, есть пародия Агнца. Агнец — закланный, телок же благополучен, рыж, сыт и обещает благополучие и сытость:

От утра и до полудня
Под поющий в небе гром,
Словно ведра, наши будни
Он наполнит молоком.

И от вечера до ночи,
Незакатный славя край,
Будет звездами пророчить
Среброзлачный урожай.

Таково будет царство телка. И оно будет — новая Русь преображенная, иная: не Русь, а **Инония.**

Прямых проявлений вражды к христианству в поэзии Есенина до «Инонии» не было, потому что и не было к тому действительных оснований. По-видимому, Есенин даже считал себя христианином. Самое для него ценное, вера в высшее назначение мужицкой Руси и в самом деле могла ужиться не только с его полуязычеством, но и с христианством подлинным. Если и сознавал Есенин кое-какие свои расхождения, то только с христианством историческим. При этом он, разумеется, был уверен, что заблуждения исторического христианства ему хорошо известны и что он, да Клюев, да еще кое-кто очень даже способны вывести христианство на должный путь. Что для этого надо побольше знать и в истории, и в христианстве — с этим он не считался, как вообще не любят считаться с такими вещами даровитые русские люди. Полагался он больше на связь с «народом» и с «землей», на твердую уверенность, что «народ» и «земля» это и суть источники истины, да еще на свою интуицию, которою обладал в сильной степени. Но интуиция бесформенна, несвязна и противоречива. Отчасти чувствуя это, за связью, за оформлением шел Есенин к другим. В поисках мысли, которая стройно бы облекла его чувство, — подпадал под чужие влияния.

В 1917 году влияние Клюева, по существу близкого Есенину, сменилось левоэсеровским. Тут Есенину объяснили, что грядущая Русь, мечтавшаяся ему, это и есть новое государство, которое станет тоже на религиозной основе, но не языческой и не христианской, а на социалистической: не на вере в спасающих богов, а на вере в самоустроенного человека. Объяснили ему, что «есть Социализм и социализм». Что социализм с маленькой буквы — только социально-политическая программа, но есть и Социализм с буквы заглавной: он является «религиозной идеей, новой верой и новым знанием, идущим на смену знанию и старой вере христианства... Это видят, это знают лучшие из профессиональных христианских богословов». «Новая вселенская идея (Социализм) будет динамитом, она раскует цепи, еще крепче прежнего заклепанные христианством на теле человечества». «В христианстве страданиями одного Человека спасался мир: в Социализме грядущем — страданиями мира спасен будет каждый человек».

Эти цитаты взяты из предисловия Иванова-Разумника к есенинской поэме. Хронологически статья писана после «Инонии», но внутренняя последовательность их, конечно, обратная. Не «Инония» навела Иванова-Разумника на высказанные в его статье новые или не новые мысли, а «Инония» явилась ярким поэтическим воплощением всех этих мыслей, привитых Есенину Ивановым-Разумником.

> Не устрашуся гибели,
> Ни копий, ни стрел дождей.
> Так говорит по Библии
> Пророк Есенин Сергей.

Тут Есенин заблуждался. «Инонию» он писал лишь в смысле некоторых литературных приемов по Библии. По существу же, вернее было сказать не «по Библии», а «по Иванову-Разумнику».

Есенин, со своей непосредственностью, перестарался. Поэма получилась открыто антихристианская и грубо кощунственная. По каким-то соображениям Иванов-Разумник потом старался затушевать и то и другое, свалив с больной головы на здоровую. Он уверяет, что Есенин «борется» не с Христом, а с тем лживым подобием его, с тем «Антихристом», под властной рукой которого двадцать (?) веков росла и ширилась историческая церковь». По Иванову-Разумнику выходит, что они-то с Есениным и пекутся о вере Христовой. Правда, он тут же и проговаривается, что эта вера им дорога только как предшественница большой истины, грядущего Социализма, который и ее самое окончательно исправит и тем самым... упразднит, чтобы отныне мир больше уж не спасался «страданиями одного **Человека**»... Нет уж, честное антихристианство Есенина в «Инонии» больше располагает к себе, чем его ивановская интерпретация.

Не будем играть словами. Есенин в «Инонии» отказался от христианства вообще, не только от **«исторического»,** а то, что свою истину он продолжал именовать Иисусом, только «без креста и мук», — с христианской точки зрения было наиболее кощунственно. Отказался, быть может, с наивной легкостью, как перед тем наивно считал себя христианином, — но это не меняет самого факта.

Другое дело — литературные достоинства «Инонии». Поэма очень талантлива. Но для наслаждения ее достоинствами надобно в нее погрузиться, обладая чем-то вроде прочного водолазного наряда. Только запасшись таким нарядом, читатель духовно безнаказанно сможет разглядеть соблазнительные красоты «Инонии».

* * *

«Инония» была лебединой песней Есенина как поэта революции и чаемой новой правды. Заблуждался он или нет, сходились или не сходились в его писаниях логические концы с концами, худо ли, хорошо ли, — как ни судить, а несомненно, что Есенин высказывал, «выпевал» многое из того, что носилось в тогдашнем катастрофическом воздухе. В этом смысле, если угодно, он действительно был «пророком». Пророком своих и чужих заблуждений, несбывшихся упований, ошибок, — но пророком. С «Инонией» он высказался весь, до конца. После нее ему, в сущности, сказать было нечего. Слово было за событиями. Инония реальная должна была настать — или не настать. По меньшей мере Россия должна была к ней двинуться — или не двинуться.

Весной 1918 года я познакомился в Москве с Есениным. Он как-то физически был приятен. Нравилась его стройность; мягкие, но уверенные движения; лицо не красивое, но миловидное. А лучше всего была его веселость, легкая, бойкая, но не шумная и не резкая. Он был очень ритмичен. Смотрел прямо в глаза и сразу производил впечатление человека с правдивым сердцем, наверное — отличнейшего товарища.

Мы не часто встречались и почти всегда — на людях. Только раз прогуляли мы по Москве всю ночь, вдвоем. Говорили, конечно, о революции, но в памяти остались одни незначительные отрывки. Помню, что мы простились уже на рассвете, у дома, где жил Есенин, на Тверской, возле Постниковского пассажа. Прощались довольные друг другом.

Усердно звали друг друга в гости — да так оба и не собрались. Думаю — потому, что Есенину был не по душе круг моих друзей, мне же — его окружение.

Вращался он тогда в дурном обществе. Преимущественно это были молодые люди, примкнувшие к левым эсерам и большевикам, довольно невежественные, но чувствовавшие решительную готовность к переустройству мира. Философствовали непрестанно и непременно в экстремистском духе. Люди были широкие. Мало ели, но много пили. Не то пламенно веровали, не то пламенно кощунствовали. Ходили к проституткам проповедывать революцию — и били их. Основным образом делились на два типа. Первый — мрачный брюнет с большой бородой. Второй — белокурый юноша с длинными волосами и серафическим взором, слегка «нестеровского» облика. И те и другие готовы были ради ближнего отдать последнюю рубашку и загубить свою душу. Самого же ближнего — тут же расстрелять, если того «потребует революция». Все писали стихи и все имели непосредственное касательство к чека. Кое-кто из серафических блондинов позднее прославился именно на почве расстреливания. Думаю, что Есенин знался с ними из небрезгливого любопытства и из любви к крайностям, каковы бы они ни были.

Помню такую историю. Тогда же, весной 1918 года, Алексей Толстой вздумал справлять именины. Созвал всю Москву литературную: «Сами приходите и вообще публику приводите». Собралось человек сорок, если не больше. Пришел и Есенин. Привел бородатого брюнета в кожаной куртке. Брюнет прислушивался к беседам. Порою вставлял словцо — и неглупое. Это был Блюмкин, месяца через три убивший графа Мирбаха, германского посла. Есенин с ним, видимо, дружил. Была в числе гостей поэтесса К. Приглянулась она Есенину. Стал ухаживать. Захотел щегольнуть — и простодушно предложил поэтессе:

— А хотите поглядеть, как расстреливают? Я это вам через Блюмкина в одну минуту устрою.

Кажется, жил он довольно бестолково. В ту пору сблизился и с большевистскими «сферами».

Еще ранее, чем «Инонию», написал он стихотворение «Товарищ», вещь очень слабую, но любопытную. В ней он впервые расширил свою «социальную базу», выведя рабочих. Рабочие вышли довольно неправдоподобные, но важно то, что в число строителей новой истины включался теперь тот самый пролетариат, который вообще трактовался крестьянскими поэтами как «хулиган» и «шпана». Перемена произошла с разительной быстротой и неожиданностью, что опять-таки объясняется теми влияниями, под которые подпал Есенин.

В начале 1919 года вздумал он записаться в большевистскую партию. Его не приняли, но намерение знаменательно. Понимал ли Есенин, что для пророка того, что «больше революции», вступление в РКП было бы огромнейшим «понижением», что из созидателей Инонии он спустился бы до роли рядового устроителя РСФСР? Думаю — не понимал. В ту же пору с наивной гордостью он воскликнул: «Мать моя родина! Я большевик».

«Пророческий» период кончился. Есенин стал смотреть не в будущее, а в настоящее.

* * *

Если бы его приняли в РКП, из этого бы не вышло ничего хорошего. Увлечение пролетариатом и пролетарской революцией оказалось непрочно. Раньше, чем многие другие, соблазненные дурманом военного коммунизма, он увидел, что дело не идет не только к Социализму с большой буквы, но даже и с самой маленькой. Понял, что на пути в Инонию большевики не попутчики. И вот он бросает им горький и ядовитый упрек:

> Веслами отрубленных рук
> Вы гребете в страну грядущего!

У него еще не хватает мужества признать, что Инония не состоялась и не состоится. Ему еще хочется надеяться, он вновь обращает все упования на деревню. Он пишет «Пугачева», а затем едет куда-то в деревню — прикоснуться к земле, занять у нее новых сил.

Деревня не оправдала надежд. Есенин увидел, что она не такова, какой он ее воспел. Но, по слабости человеческой, он не захотел заметить внутренних, органических причин, по которым она и после «грозы и бури» не двинулась по пути к Инонии. Он валит вину на «город», на городскую культуру, которой большевики, по его мнению, отравляют деревянную Русь. Ему кажется, что виноват прибежавший из города автомобиль, трубящий в «погибельный рог». По какой-то иронии судьбы только теперь, когда заводы и фабрики фактически остановились, он вдруг их заметил, и ему чудится, будто они слишком близко стали к деревне — и отравляют ее:

О, электрический восход,
Ремней и труб глухая хватка,
Се изб бревенчатый живот
Трясет стальная лихорадка.

И промчавшийся поезд, за которым смешно и глупо гонится жеребенок, он проклинает:

Черт бы взял тебя, скверный гость!
Наша песня с тобой не сживется.
Жаль, что в детстве тебя не пришлось
Утопить, как ведро в колодце.
Хорошо им стоять и смотреть,
Красить рты в жестяных поцелуях,
Только мне, как псаломщику, петь
Над родимой страной: „Аллилуйя!".
Оттого-то, в сентябрьскую склень,
На сухой и холодный суглинок,
Головой размозжась о плетень,
Облилась кровью ягод рябина.
Оттого-то вросла тужиль
В переборы тальянки звонкой,
И соломой пропахший мужик
Захлебнулся лихой самогонкой.

Надвигающаяся власть города вызывает в нем безнадежность и озлобление:

Мир таинственный, мир мой древний,
Ты, как ветер, затих и присел,
Вот сдавили за шею деревню
Каменные руки шоссе.

Он сравнивает себя, «последнего поэта деревни», с затравленным волком, который бросается на охотника:

Как и ты, я всегда наготове,
И хоть слышу победный рожок,
Но отпробует вражеской крови
Мой последний смертельный прыжок.

Он вернулся в Москву в угнетенном состоянии. «Нет любви, ни к деревне, ни к городу». Избы и дома ему одинаково немилы. Ему хочется стать бродягой:

Оттого, что в полях забулдыге
Ветер громче поет, чем кому.

Он готов прикрыть свою скорбь юродством, чудачествами —

Оттого, что без этих чудачеств
Я прожить на земле не могу.

Так пророк несбывшихся чудес превращается в юродивого, но это еще не последнее падение. Последнее наступило, когда Есенин загулял, запил. Ему чудится, что вся Россия запила с горя оттого же, отчего и он сам: оттого, что не сбылись ее надежды на то, что «больше революции», «левее большевиков»; оттого, что былое она сгубила, а к тому, о чем мечтала, — не приблизилась:

Снова пьют здесь, дерутся и плачут
Под гармоники желтую грусть.
Проклинают свои неудачи,
Вспоминают московскую Русь.

И я сам, опустясь головою,
Заливаю глаза вином,
Чтоб не видеть лицо роковое,
Чтоб подумать хоть миг об ином.

Что-то злое во взорах безумных,
Непокорное в громких речах.
Жалко им тех дурашливых юных,
Что сгубили свою жизнь сгоряча.

Где ж вы, те, что ушли далече?
Ярко ль светят вам наши лучи?
Гармонист спиртом сифилис лечит,
Что в киргизских степях получил.

Нет, таких не подмять. Не рассеять.
Бесшабашность им гнилью дана.
Ты Рассея моя... Рассея..
Азиатская сторона!

С этой гнилью, с городскими хулиганами, Есенину все же легче, нежели с благополучными мещанами советской России. Теперь ему стали мерзки большевики и те, кто с ними. Опостылели былые приятели, занявшие более или менее кровавые, но теплые места:

Я обманывать себя не стану,
Залегла забота в сердце мглистом.
Отчего прослыл я шарлатаном?
Отчего прослыл я скандалистом?

Не злодей я, и не грабил лесом,
Не расстреливал несчастных по темницам.
Я всего лишь уличный повеса,
Улыбающийся встречным лицам.

....

Средь людей я дружбы не имею.
Я иному покорился царству.
Каждому здесь кобелю на шею
Я готов отдать мой лучший галстук.

К опозорившим себя революционерам он не пристал, а от родной деревни отстал.

> Да! Теперь решено! Без возврата
> Я покинул родные поля.
>
> ....
>
> Я читаю стихи проституткам
> И с бандитами жарю спирт.
>
> ....
>
> Я уж готов. Я робкий.
> Глянь на бутылок рать!
> Я собираю пробки
> Душу мою затыкать.

В литературе он примкнул к таким же кругам, к людям, которым терять нечего, к поэтическому босячеству. Есенина затащили в имажинизм, как затаскивали в кабак. Своим талантом он скрашивал выступления бездарных имажинистов, они питались за счет его имени, как кабацкая голь за счет загулявшего богача.

Падая все ниже, как будто нарочно стремясь удариться о самое дно, прикоснуться к последней грязи тогдашней Москвы, он женился. На этой полосе его жизни я не буду останавливаться подробно. Она слишком общеизвестна. Свадебная поездка Есенина и Дункан превратилась в хулиганское «турне» по Европе и Америке, кончившееся разводом. Есенин вернулся в Россию. Начался его последний период, характеризуемый быстрой сменой настроений.

Прежде всего Есенин, по-видимому, захотел успокоиться и очиститься от налипшей грязи. Зазвучала в нем грустная примиренность, покорность судьбе — и мысли, конечно, сразу обратились к деревне:

Я усталым таким еще не был.
В эту серую морозь и слизь
Мне приснилось рязанское небо
И моя непутевая жизнь.

....

И во мне, вот по тем же законам,
Умиряется бешеный пыл.
Но и все ж отношусь я с поклоном
К тем полям, что когда-то любил.

В те края, где я рос под кленом,
Где резвился на желтой траве,
Шлю привет воробьям и воронам
И рыдающей в ночь сове.

Я кричу им в весенние дали:
«Птицы милые, в синюю дрожь
Передайте, что я отскандалил...»

....

Он пишет глубоко задушевное «Письмо к матери»:

....

Пишут мне, что ты, тая тревогу,
Загрустила шибко обо мне.
Что ты часто ходишь на дорогу
В старомодном ветхом шушуне.

И тебе в вечернем синем мраке
Часто видится одно и то ж:

Будто кто-то мне в кабацкой драке
Саданул под сердце финский нож.

....

Не буди того, что отмечталось,
Не волнуй того, что не сбылось.
Слишком раннюю утрату и усталость
Испытать мне в жизни привелось.

Наконец он и в самом деле поехал в родную деревню, которой не видал много лет. Тут ждало его последнее разочарование — самое тяжкое, в сравнении с которым все бывшие раньше — ничто.

* * *

Перед самой революцией, в декабре 1916 года, крестьянский поэт Александр Ширяевец, ныне тоже покойный, прислал мне свой сборник «Запевки», с просьбой высказать о нем мое мнение. Я прочел книжку и написал Ширяевцу, указав откровенно, что не понимаю, как могут «писатели из народа», знающие мужика лучше, чем мы, интеллигенты, изображать этого мужика каким-то сказочным добрым молодцем вроде Чурилы Пленковича, в шелковых лапотках. Ведь такой мужик, какого живописуют крестьянские поэты, вряд ли когда и был — и уж во всяком случае больше его нет и не будет. 7 января 1917 года Ширяевец мне ответил таким письмом:

«Многоуважаемый Владислав Фелицианович!

Очень благодарен Вам за письмо Ваше. Напрасно думаете, что буду «гневаться» за высказанное Вами, — наоборот, рад, что слышу искренние слова.

Скажу кое-что в свою защиту. Отлично знаю, что такого народа, о каком поют Клюев, Клычков, Есенин и я, скоро не будет, но не потому ли он и так дорог нам, что его скоро не будет?.. И что прекраснее: прежний Чурила в шелковых лапотках, с припевками да присказками, или нынешнего дня Чурила, в американских штиблетах, с Карлом Марксом или «Летописью» в руках, захлебывающийся от открываемых там истин?.. Ей-Богу, прежний мне милее!.. Знаю, что там, где были русалочьи омуты, скоро поставят купальни для лиц обоего пола, со всеми удобствами, но мне все же милее омуты, а не купальни... Ведь не так-то легко расстаться с тем, чем жили мы несколько веков! Да и как не уйти в старину от теперешней неразберихи, ото всех этих истерических воплей, называемых торжественно «лозунгами»... Пусть уж о прелестях современности пишет Брюсов, а я поищу Жар-Птицу, пойду к тургеневским усадьбам, несмотря на то что в этих самых усадьбах предков моих били смертным боем. Ну как не очароваться такими картинками?.. [1]

И этого не будет! Придет предприимчивый человек и построит (уничтожив мельницу) какой-нибудь «Гранд-отель», а потом тут вырастет город с фабричными трубами... И сейчас уж у лазоревого плеса сидит стриженая курсистка или с Вейнингером в руках, или с «Ключами счастья».

Извините, что отвлекаюсь, Владислав Фелицианович. Может быть, чушь несу я страшную, это все потому, что не люблю я современности окаян-

---

[1] Далее следует полностью стихотворение С. Клычкова «Мельница в лесу», которое опускаю.

ной, уничтожившей сказку, а без сказки какое житье на свете?..

Очень ценны мысли Ваши, и согласен я с ними, но пока потопчусь на старом месте, около мельниковой дочери, а не стриженой курсистки. О современном, о будущем пусть поют более сильные голоса, мой слаб для этого...»[1]

Когда Ширяевец мне писал: «Отлично знаю, что такого народа, о каком поют Клюев, Клычков, Есенин и я, скоро не будет», — знал ли он, что в действительности не только скоро не будет, а уже нет, а вернее, — совершенно такого былинно-песенного «народа» никогда и не было? Думаю, знал, — но старался эту мысль гнать от себя: жил верою в идеального мужика, в «сказку», — «а без сказки какое житье на свете?»

Ширяевец не напрасно упомянул Есенина: весь пафос есенинской поэзии был основан на вере в этот воображаемый «народ». И Есенин жил «в сказке», лучшей страницей которой была Инония, светлый град, воздвигаемый мужиком.

Первый удар мечте нанесен был еще до женитьбы Есенина. Но мы уже видели, что тогда Есенин не отважился признать правду: все несоответствие между мечтой и действительностью он не только свалил на вторжение города в жизнь деревни, но и продолжал верить, будто это вторжение лишь механично и ничего не меняет в сущности деревни. Ему даже мерещилось, что придет пора — деревня захочет и сумеет за себя постоять. Теперь, после долгого отсутствия вновь приехав в деревню, Есе-

---

[1] Конец письма опускаю: он не имеет отношения к данной теме.

304

нин увидел всю правду. «Вновь посетив родимые места», он с ужасом замечает:

> Какое множество открытий
> За мною следовало по пятам!

Сперва он не узнает местности. Потом — не сразу находит дом матери. Потом, встретив прохожего, не узнает в нем родного деда, того самого, которого он некогда так ясно себе представлял сидящим в раю «под маврикийским дубом». Потом узнает, что сестры стали комсомолками, что «на церкви комиссар снял крест». Пришли домой — он видит: «на стенке календарный Ленин». И вот —

> Чем мать и дед грустней и безнадежней,
> Тем веселей сестры смеется рот.

Сестра же, «раскрыв, как Библию, пузатый „Капитал"», «разводит» ему «о Марксе, Энгельсе»:

> Ни при какой погоде
> Я этих книг, конечно, не читал.

И, слушая сестрины речи, он вспоминает, как еще при его приближении к дому —

> По-байроновски, наша собачонка
> Меня встречает лаем у ворот.

Как видим, дед и мать, безнадежно глядящие на сестер, представляются Есенину последними носителями мужицкой правды: Есенин утешается тем, что хоть в прошлом — эта правда все же существовала. Но в стихотворении «Русь советская», получившем такую широкую известность, Есенин идет еще дальше: он прямо говорит, что ни в чьих глазах не находит себе приюта — ни у молодых, ни даже у стариков. Той Руси деревянной, из которой должна была возникнуть Инония, — нет. Есть — грубая, жестокая, пошлая «Русь советская», распевающая «агитки Бедного Демьяна». И Есенину впервые является мысль о том, что не только нет, но, может быть, никогда и не было той Руси, о которой он пел, что его вера в свое посланничество от «народа» — была заблуждением:

> Вот так страна! Какого ж я рожна
> Орал в стихах, что я с народом дружен?
> Моя поэзия здесь больше не нужна,
> Да и, пожалуй, сам я тоже здесь не нужен.

Он прощается с деревней, обещая смиренно «принять» действительность как она есть. Теперь кончены не только мечты об Инонии (это случилось раньше) — теперь оказалось, что Инонии неоткуда было и взяться: мечтой оказалась сама идеальная, избяная Русь.

Но смирение Есенина оказалось непрочно. Вернувшись в Москву, глубоко погрузясь в нэповское болото (за границу уехал он в самом начале нэпа), ощутив всю позорную разницу между большевистскими лозунгами и советской действительностью даже в городе, Есенин впал в злобу. Он снова запил, и его пьяные скандалы сперва приняли форму антисемитских выходок. Тут отчасти заговорила в нем старая закваска, и злоба Есенина вылилась в самой грубой и примитивной форме. Он и Клычков, принимавший участие в этих скандалах, были привлечены к общественному суду, который состоялся в так называемом Доме Печати. О бестактности и унизительности, которыми сопровождался суд, сейчас рассказывать преждевременно. Есенина и Клычкова «простили». Тогда начались кабацкие выступления характера антисоветского. Один из судей, Андрей Соболь, впоследствии тоже покончивший с собой, рассказывал мне в начале 1925 года в Италии, что так «крыть» большевиков, как это публично делал Есенин, не могло и в голову прийти никому в Советской России; всякий сказавший десятую долю того, что говорил Есенин, давно был бы расстрелян. Относительно же Есенина был только отдан в 1924 году приказ по милиции — доставлять в участок для вытрезвления и отпускать, не давая делу дальнейшего хода. Вскоре все милиционеры центральных участков знали Есенина в лицо. Конечно, приказ был отдан не из любви к Есенину и не в заботах о судьбе русских писателей, а из соображений престижа: не хотели подчеркивать и официально признавать «расхождения» между «рабоче-крестьянской» властью и поэтом, имевшим репутацию крестьянского.

Однако и скандалы сменились другими настроениями. Есенин пытался ездить, побывал на Кавказе, написал о нем цикл стихов, но это не дало облегчения. Как бывало и раньше, захотел он «повернуть к родному краю». Снова пытался смириться: отказавшись и от Инонии, и от Руси, принять и полюбить Союз Советских Республик каков он есть. Он добросовестно даже засел за библию СССР, за Марксов «Капитал», — и не выдержал, бросил. Пробовал уйти в личную жизнь — но и здесь, видимо, не нашел опоры. Чуть ли не каждое его стихотворение с некоторых пор стало кончаться предсказанием близкой смерти. Наконец он сделал последний, действенный вывод из тех стихов, которые написал давно, когда правда о несостоявшейся Инонии только еще начинала ему открываться:

> Друг мой, друг мой! Прозревшие вежды
> Закрывает одна лишь смерть.

Есенин прозрел окончательно, но видеть того, что творится вокруг, не хотел. Ему оставалось одно — умереть.

* * *

История Есенина есть история заблуждений. Идеальной мужицкой Руси, в которую верил он, не было. Грядущая Инония, которая должна была сойти с неба на эту Русь, — не сошла и сойти не могла. Он поверил, что большевистская революция есть путь к тому, что «больше революции», а она оказалась путем к последней мерзости — к нэпу. Он думал, что верует во Христа, а в действительности не веровал, но, отрекаясь от Него и кощунствуя, пережил всю муку и боль, как если бы веровал в самом деле. Он отрекся от Бога во имя любви к человеку, а человек только и сделал, что снял крест с церкви да повесил Ленина вместо иконы и развернул Маркса, как Библию.

И однако, сверх всех заблуждений и всех жизненных падений Есенина остается что-то, что глубоко привлекает к нему. Точно сквозь все эти заблуждения проходит какая-то огромная, драгоценная правда. Что же так привлекает к Есенину и какая это правда? Думаю, ответ ясен. Прекрасно и благородно в Есенине то, что он был бесконечно правдив в своем творчестве и пред своею совестью, что во всем доходил до конца, что не побоялся сознать ошибки, приняв на себя и то, на что соблазняли его другие, — и за все захотел расплатиться ценой страшной. Правда же его — любовь к родине, пусть незрячая, но великая. Ее исповедовал он даже в облике хулигана:

Я люблю родину,
Я очень люблю родину!

Горе его было в том, что он не сумел назвать ее: он воспевал и бревенчатую Русь, и мужицкую Руссию, и социалистическую Инонию, и азиатскую Рассею, пытался принять даже СССР, — одно лишь верное имя не пришло ему на уста: Россия. В том и было его главное заблуждение, не злая воля, а горькая ошибка. Тут и завязка, и развязка его трагедии.

Февраль 1926

СОДЕРЖАНИЕ

Карлос Бальмаседа
«Поваренная книга каннибала»

Впервые на русском — поразительный кулинарный триллер одного из ярчайших авторов современной Аргентины, достойного соперника Федерико Андахази. Именно таким, по мнению критиков, мог бы получиться «Парфюмер», если бы Патрик Зюскинд жил в Южной Америке и увлекался не бесплотными запахами, а высокой кухней.

«Цезарю Ломброзо было семь месяцев от роду, когда он впервые попробовал человеческое мясо, и следует сказать, что это была плоть его собственной матери» — так начинается эта книга. Однако рассказанная в ней история начинается гораздо раньше, на рубеже XIX и XX вв., когда братья-близнецы Лучано и Людовико Калиостро, променяв лазурные пейзажи Средиземноморья на суровое побережье Южной Атлантики, открыли ставший легендарным ресторан «Альмасен Буэнос-Айрес» — и написали не менее легендарную «Поваренную книгу южных морей»...

Информацию о приобретении книг по почте или через Интернет читайте на сайте www.azbooka.ru

Ф. Э. Хиггинс
«Черная книга секретов»

*Новый шедевр английской готической литературы!
Самый громкий дебют со времени выхода
«Тринадцатой сказки» Дианы Сеттерфилд.*

Семейные тайны и зловещие предсказания, оригинальные персонажи и мелодраматические повороты сюжета — все с избытком присутствует в этой увлекательной и по-настоящему английской книге. Если Диана Сеттерфилд в своей «Тринадцатой сказке» напоминала читателю о романах сестер Бронте, то Ф. Э. Хиггинс погружает нас в таинственную атмосферу историй Диккенса и Оскара Уайльда. Ладлоу Хоркинс, коварно преданный собственными родителями (повествование, как когда-то в «Острове сокровищ» Стивенсона, идет в основном от лица юного героя), попадает в маленький и очень странный городок, где почти каждому жителю есть что скрывать, где торговка книгами готова на убийство ради бесценного экземпляра, где ростовщик берет в заклад людские тайны. Какие секреты таит в себе «Черная книга секретов», ради которой люди готовы на все? Это и предстоит узнать нашему герою в этом увлекательном романе-загадке.

Впервые на русском!

Януш Леон Вишневский
Малгожата Домагалик
«188 дней и ночей»

Новая книга Януша Леона Вишневского, автора поразительных международных бестселлеров «Одиночество в Сети» и «Повторение судьбы», сборников «Любовница», «Мартина» и «Постель».

«188 дней и ночей» представляют для Вишневского очередной смелый эксперимент: книга написана в соавторстве, на два голоса. Он — популярный писатель, она — главный редактор женского журнала. Они пишут друг другу письма по электронной почте. Комментируя жизнь за окном, они обсуждают массу тем, она — как воинствующая феминистка, он — как мужчина, превозносящий женщин. Любовь, Бог, верность, старость, пластическая хирургия, гомосексуальность, виагра, порнография, литература, музыка, — ничто не ускользает от их цепкого взгляда…

ИЗДАТЕЛЬСКАЯ ГРУППА «АЗБУКА-КЛАССИКА» ПРЕДСТАВЛЯЕТ

Стефани Цвейг
«Нигде в Африке»

Впервые на русском языке издается книга писательницы, каждый новый роман которой становился бестселлером в Европе, а общий объем проданных экземпляров достиг отметки в 6 миллионов. Снятый по роману «Нигде в Африке» художественный фильм собрал почти два десятка наград престижных международных кинофестивалей и в 2002 году удостоен премии «Оскар» за лучший фильм на иностранном языке.

Семья недавно преуспевающего адвоката Вальтера Редлиха оказывается в Кении — без языка, без средств к существованию, без надежды вновь обрести утраченную родину... Полный драматизма, населенный незабываемыми персонажами, пронизанный мягким юмором и горькой самоиронией, окрашенный неповторимым африканским колоритом роман Стефани Цвейг «Нигде в Африке» обладает всеми качествами настоящей книги, которой суждена долгая жизнь. Не случайно автор одной из американских рецензий предпослал своему отзыву слова Уистена Хью Одена: «Бывают незаслуженно забытые книги; не бывает книг, незаслуженно *не забытых*».

Информацию о приобретении книг по почте
или через Интернет читайте на сайте www.azbooka.ru